GUNNEL LINDE

Mit Jasper im Ge[...]

cbj

cbj
ist der Kinder- und Jugendbuchverlag
in der Verlagsgruppe Random House

MIX
Papier aus verantwor-
tungsvollen Quellen
FSC® C014496

Verlagsgruppe Random House FSC-DEU-0100
Das für dieses Buch verwendete FSC®-zertifizierte
Papier *München Super Extra* liefert
Arctic Paper Mochenwangen GmbH.

1. Auflage
Erstmals als cbj Taschenbuch Oktober 2012
Gesetzt nach den Regeln der Rechtschreibreform
© Gunnel Linde, 1965
Erstmals erschienen 1972 bei Bonniers Juniorförlag,
Stockholm, Schweden, unter dem Titel
»Med Lill-Klas i kappsäcken«.
Published in the German Language by arrangement with
Bonnier Group Agency, Stockholm, Sweden.
Deutschsprachige Ausgabe © 2010 Gerstenberg Verlag,
Hildesheim
Alle Rechte dieser Ausgabe vorbehalten durch cbj Verlag,
München, in der Verlagsgruppe Random House GmbH
Aus dem Schwedischen von Birgitta Kicherer
Umschlag- und Innenillustrationen: Susanne Göhlich
Umschlaggestaltung: Basic-Book-Design,
Karl Müller-Bussdorf
MI · Herstellung: CZ
Satz: Buch-Werkstatt GmbH, Bad Aibling
Druck und Bindung: GGP Media GmbH, Pößneck
ISBN: 978-3-570-22315-4
Printed in Germany

www.cbj-verlag.de

Gunnel Linde

Mit Jasper im Gepäck

Aus dem Schwedischen von Birgitta Kicherer

Mit Illustrationen
von Susanne Göhlich

Wie die Reise begann

Es gibt Kinder, denen geht es gut! Es gibt Kinder, die haben eine Tante, die lädt sie zu einer Reise ein und fährt in den Osterferien mit ihnen nach Kopenhagen! Es gibt Kinder, die dürfen in der Hauptstadt von Dänemark mitten auf dem Marktplatz leckere Sandwichs kaufen – Brote, die mit geschälten Krabben und leuchtend gelben Würsten und anderen Kopenhagener Herrlichkeiten belegt sind –, und es gibt Kinder, die in Kopenhagen auch noch den Vergnügungspark Tivoli besuchen und Achterbahn fahren dürfen! Und dabei habt ihr noch gar nicht das Allerspannendste erfahren, was in Kopenhagen passierte!

Ja, es ist wirklich unglaublich, was für Glückspilze es gibt!

Damit meine ich Nicklas und Anneli. Das waren die Kinder, die eine solche Tante hatten, nämlich die Tante Tinne.

Tante Tinne war die Schwester von Nicklas' und Annelis Vater und ein ganz besonders feines Tantchen. Sie war so dünn, dass man ihr Handgelenk mit Daumen und Zeigefinger umschließen konnte, und sie trug immer blaue Kleider – Vergissmeinnichtblau, Taubenblau oder Tintenblau. Außer bei feierlichen Anlässen, da pflegte sie ein pfauenblaues Kleid zu tragen und dazu ein goldenes Medaillon um den Hals.

Sie lebte zusammen mit einem sehr alten Kanarienvogel in einer hübschen kleinen Stadt irgendwo in Schweden, und als sie angereist kam und mitteilte, sie wolle die Kinder nach Kopenhagen einladen, hatten Nicklas und Anneli sie erst fünf Mal zuvor in ihrem Leben getroffen.

Nicklas' und Annelis Eltern waren zuerst entschieden dagegen: Wie sollte Tante Tinne mit zwei Kindern gleichzeitig fertig werden, wo sie doch gar keine Kinder gewohnt war? Wie sollte sie die ganzen Strapazen und Aufregungen verkraften? Und würden die Kinder überhaupt eine ganze Woche lang vernünftig sein können, ohne immerzu vor Heimweh zu heulen?

Nicklas und Anneli beteuerten einhellig, sie würden nicht für fünf Öre Heimweh bekommen, und Tante Tinne versicherte, wenn sie alles Neue mit dem frischen Blick der Kinder sehen dürfe, werde sie sehr viel mehr Vergnügen an der Reise haben. Im Übrigen kam ihnen ein glücklicher Zufall zur Hilfe: Ihre Mutter hatte vorgehabt, das Kinderzimmer frisch tapezieren zu lassen, und erfuhr überraschend, dass die Handwerker ausgerechnet nur in dieser Woche kommen konnten, und da war es natürlich besser, die Kinder aus dem Weg zu haben.

Also packten Nicklas und Anneli ihre Rucksäcke und Taschen und reisten mit Tante Tinne ab.

Nachdem sie alle drei sicher und wohlbehalten im Hotel *Kong Frederik* angekommen waren, setzte sich Tante Tinne als Erstes hin, um den Eltern in Stockholm einen beruhigenden Brief zu schreiben. Folgendes schrieb sie:

Ihr Lieben,

die Bahnreise ging gut und jetzt sind wir glücklich in Kopenhagen angekommen. Annelis Taschentuch wurde weggeweht, als sie damit aus dem Zugfenster winkte, und Nicklas half einem alten Herrn in Hallsberg beim Aussteigen und stellte zwei Koffer hinaus, die jemand anderem gehörten, aber sonst ist nichts vorgefallen und wir sind alle drei gesund und munter. Während der Reise habe ich sechs Topflappen gehäkelt. Morgen werde ich mit den Kindern in den Zoologischen Garten gehen.

Herzliche Grüße an Euch beide von Tante Tinne

PS: Macht Euch keine Sorgen. Wir werden uns auf keine Abenteuer einlassen!

Ja, das glaubte Tante Tinne.

Nicklas und Anneli packen im Zoo das Glück beim Schopf

Der Tag, an dem sie den Zoologischen Garten besuchen würden, fing gut an. Die Sonne schien bereits, als Anneli am Morgen das Rollo hochschnappen ließ. Sie und Nicklas hatten ein eigenes Zimmer direkt neben dem von Tante Tinne. Als Erstes klingelte das Telefon, das neben Nicklas auf dem Nachttisch stand.

„Antworte lieber nicht", sagte Anneli. „Da hat jemand die falsche Nummer gewählt. Wir kennen niemand in ganz Dänemark, also gibt es niemand, der uns anrufen könnte."

„Ich kann so tun, als wär ich jemand anders, und ein bisschen Quatsch reden", schlug Nicklas vor.

„Lieber nicht", sagte Anneli. „Stell dir vor, die Leute ärgern sich und beschweren sich dann bei Tante Tinne. Wir haben doch versprochen, dass wir brav sein wollen! Übrigens ist das vielleicht so ein Entführer, der hören will, ob es hier im Hotel Kinder gibt, die allein unterwegs sind."

„Glaubst du?", sagte Nicklas und nahm sofort den Hörer ab.

Er wollte zu gern wissen, wie ein Entführer sich anhört. Aber es war nur Tante Tinne, die ihnen mitteilte, dass sie gut geschlafen hatte und sich darauf freute, in den Zoologischen Garten zu gehen, wilde Tiere anzugucken und danach in irgendeinem Straßencafé Tee zu trinken.

„Saft", übersetzte Nicklas für Anneli. Sie stürzten sich in ihre Kleider. Nicklas ging in den Hotelkorridor, um nach seinen Schuhen zu schauen. Am Abend hatte er sie zum Putzen hinausgestellt. Allerdings nicht vor seine eigene Tür, sondern vor eine Tür am Ende des Korridors, um festzustellen, was dann passieren würde. Der Schuhputzer hatte sich nicht täuschen lassen. Nicklas' Schuhe standen blank geputzt vor der richtigen Tür, wie es sich gehörte. Nicklas brauchte bloß hineinzuschlüpfen.

Bald darauf warteten Nicklas und Anneli fertig angezogen unten vor dem Hotel auf Tante Tinne. Anneli hatte den türkisblauen Regenmantel mit dem dazu passenden Hütchen und die neuen Schuhe mit den geschwungenen Absätzen an und Nicklas trug die rote Jacke mit den Goldknöpfen. Seine Jackentasche war nur ganz leicht von der Hotelseife ausgebeult, die er mitgenommen hatte, um sie den Waschbären im Zoo zuzustecken. Anneli schaute seine frisch gestutzten Haare an und sein erwartungsvolles Gesicht und dachte: Für einen Bruder ist er eigentlich ungewöhnlich nett. Von allen Jungs, die ich kenne, möchte ich am liebsten Nicklas zum Bruder haben – gleich nach Tarzan, Sohn der Affen.

Nicklas war so davon in Anspruch genommen, jede Sekunde des Lebens zu genießen, dass er nicht mal Zeit für ein kurzes Lächeln hatte. Er dachte gerade: Falls es keine Waschbären gibt, denen ich die Seife geben kann, wickle ich das Seifenstück einfach in ein altes Eispapier und schenke es Anneli. Die glaubt dann garantiert, es wär ein Erdbeereis. Die Seife war wirklich sehr brauchbar, so schön rosa. Anneli würde ihn sicher nicht bei Tante Tinne verpetzen.

Nicklas hatte Anneli auf seine Art durchaus auch gern. Wenn sie nur nicht immer darauf bestehen würde, zwei Jahre älter zu sein, wäre sie total in Ordnung. Es machte ihm nicht einmal etwas aus, dass sie ein bisschen mollig war, im Gegenteil, das war nur gut, dann konnte man sich nicht an ihr stoßen, wenn man sich bei Gelegenheit mit ihr raufen musste. Fast könnte man sagen, für eine Schwester war sie ungewöhnlich nett.

Die Morgensonne schien ihnen schön warm auf den Bauch. Sie mussten ziemlich lang warten, Tante Tinne saß nämlich in ihrem Hotelzimmer und wartete dort auf sie, bis sie endlich auf die Idee kam, unten nach den Kindern zu schauen. Schließlich waren sie dann doch alle drei glücklich im Taxi zum Zoologischen Garten unterwegs.

„Im Zoologischen Garten gibt es wilde Tiere aus den verschiedensten Teilen der Welt zu sehen", belehrte Tante Tinne sie. „Das wird euch bestimmt interessieren."

Sie löste die Eintrittskarten und ließ die Kinder voraus durch die Sperre gehen. Anneli und Nicklas stellten sofort fest, dass Tante Tinne recht hatte. Vor ihnen breiteten sich hochinteressante sandige Wege aus, die sich von Käfig zu Käfig schlängelten. In jedem Käfig gab es das eine oder andere Tier zu besichtigen. Als Erstes kamen sie an ein Gehege, wo hochmütige Pfauen mit prachtvoller Federschleppe zwischen zierlichen kleinen Antilopen umherstolzierten.

„Hier hat man die Tiere vermischt", stellte Nicklas fest.

Dann erblickte er ein Gehege mit einem Affenfelsen, in das soeben der Hut eines Besuchers gefallen war. Mindestens zwanzig Affen hüpften von ihren Sitzplätzen herunter, um den Hut zu erwischen. Sie balgten sich darum, versuchten, ihn aufzusetzen, warfen ihn dann zu den Bananenschalen auf den Boden und stellten so viel Blödsinn damit an, dass Nicklas vor lauter Lachen fast nicht mehr konnte. Als ein Zoowächter kam und den Hut holte, taten die Affen Nicklas so leid, dass er ihnen seine eigene Mütze hinunterwerfen wollte. Doch das erlaubte Tante Tinne nicht.

„Schaut mal drüben, ein Vogel Strauß!", rief sie schnell, als hätte sie im Leben noch nie so was Seltsames gesehen.

Und dabei war es bloß ein viel zu großer Vogel, der hin und her joggte und an einen eingesperrten Langstreckenläufer erinnerte. Und das sei er ja auch, wie Tante Tinne bemerkte.

Insgesamt benahm sich Tante Tinne vorbildlich. Sie versuchte weder, die Kinder an der Hand zu halten, noch, sie in Anwesenheit anderer Leute zu ermahnen, sondern las bloß laut vor, was auf den Schildern vor den Käfigen stand. Doch das war nicht weiter schlimm.

Nach einer Weile kamen sie in ein Kleintierhaus. Dort drin war es gemütlich warm und roch schön eklig nach Stachelschwein, Gürteltier und Mungo.

„Herpestes edwardsii", las Tante Tinne. „Ein Tier, das giftige Schlangen töten kann."

„Oh, das ist doch ein Rikki-tikki-tavi!", rief Anneli. „Das aus dem Dschungelbuch, Nicklas!"

„Och, sieht das so aus?", sagte Nicklas enttäuscht und betrachtete das friedliche Tierchen mit dem gesprenkelten Fell, das still und einsam hin und her huschte und sich ab und zu hinlegte, um den Bauch am Boden zu reiben.

„Das sollten sie lieber in der Schlangengrube wohnen lassen, dann wäre es ihm nicht so langweilig!"

„Aber dann müssten einem doch die Schlangen leid tun", wandte Anneli ein.

„Immer muss einem jemand leidtun, egal, was man macht", brummte Nicklas düster. „Warum durfte ich meine Mütze nicht zu den Affen runterwerfen?"

„Schaut mal, hier haben wir das Raubtierhaus!", rief Tante Tinne.

Das Raubtierhaus war ein prächtiger Bau und Nicklas durchfuhr ein herrliches Gefühl von Spannung als er die Tür aufschob. Dort drin roch es noch ekliger, als hätte jemand mit fauligen Kräutern herumgewedelt. Kaum waren sie eingetreten, als ein riesiger schwarzer Panther mit einem lauten Plumps von einem Wandbrett sprang und Nicklas und Tante Tinne so grimmig fixierte, als hätte er sein ganzes Leben lang nur darauf gewartet, sie beißen zu dürfen.

In einem anderen Käfig lief ein gereizter Tiger laut schnaubend mit offenem Maul hinter den Gitterstäben hin und her.

„Armes Tier", bemerkte Tante Tinne. „Mit seinem feinen Geruchssinn, der für frische Dschungeldüfte geschaffen ist, in diesem Gestank leben zu müssen. Bestimmt atmet er deshalb durch den Mund, weil er diesen Geruch nicht erträgt! Man müsste ihn freilassen!"

„Dann hätten wir aber nichts zu lachen", sagte Anneli.

„Die Menschen sollten lieber aufhören, all diese Tiere herzuschleppen und zu einem Leben in Gefangenschaft zu verurteilen. Ich leide jedes Mal, wenn ich Tiere in Käfigen sehe", verkündete Tante Tinne mit ernster Miene, als sie das Raubtierhaus verließen.

Doch da erblickte sie plötzlich einen schwarzen Pudel, der am Wegrand saß und sie aufmerksam ansah.

„Bleibt sofort stehen, Kinder, und bewegt euch nicht! Da ist ein Pavian freigekommen!", zischte sie. „Sperren Sie das Tier auf der Stelle ein!", rief sie einem Wächter zu, der nichts Böses ahnend an ihnen vorbeispazierte.

Nicklas und Anneli war es schrecklich peinlich, dass ihre Tante völlig grundlos ein solches Spektakel aufführte. Aber der

Wächter lachte bloß und erklärte, so ein Irrtum sei leicht möglich. „Ich selbst finde auch, dass Paviane Hundegesichter haben."

Im nächsten Gehege standen Elefanten und wiegten sich vom einen Bein aufs andere, als würden sie im Zeitlupentempo tanzen. Nicklas hielt einem Elefanten seine Mütze hin. Bestimmt konnte der Elefant den Rüssel nicht bis zu ihm ausstrecken! Doch das konnte er. Er nahm Nicklas die Mütze freundlich aus der Hand und fegte damit den Boden, bevor er sie sich auf den Rücken schleuderte.

Damit war die Sache mit Nicklas oller Mütze endlich erledigt. Tante Tinne schalt ihn zwar tüchtig aus, aber sie regte sich bei Weitem nicht so sehr auf, wie Nicklas' Mutter es getan hätte.

Im Elefantenhaus gab es auch ein Nashorn und zwei kleine Zwergnilpferde.

„Ha, wenn man dem Nashorn das Horn wegnimmt, hat es ein Gesicht wie eine Schildkröte!", sagte Nicklas. „Viele Tiere sehen einander ähnlich, finde ich. Wenn ich nicht genau hingucke, könnte ich das Nashorn für eine Riesenschildkröte halten. Stimmt's, Tante Tinne?"

„Die Natur schafft es vielleicht nicht, endlos viele neue Formen zu erfinden", sagte Tante Tinne geduldig und tat so, als hätte sie die Angelegenheit mit der Mütze vergessen.

Schließlich kamen sie zu einem hübschen kleinen Haus mit einem Strohdach, das bis an die Fenster hinunterreichte. In dem Häuschen standen Möbel.

„Das ist aber ein niedlicher Käfig! Ist der für die Menschenaffen?", fragte Nicklas.

„Dummkopf, das ist doch das Haus für die Zoowärter", sagte Anneli.

„Große Lotterie des Zoologischen Gartens", las Tante Tinne auf einer Anschlagtafel. Dann ging sie zu einer Bank und setzte sich hin, um Steine aus ihren Schuhen zu entfernen.

Und diesen Moment benützte das Abenteuer für seinen Auftritt. Nicklas las weiter: „Erster Preis: Für nur zwei Kronen kann man das ganze Haus gewinnen. Aufgebaut an wahlfreiem Ort, in-klu-si-ve Möbel und Grundstück. In-klu-si-ve Möbel, was sind das denn für Möbel?"

„Das bedeutet, dass man die Möbel dazubekommt", beeilte sich Anneli zu erklären. „Und was steht da noch?"

„Zweiter Preis: ein Tigerfell mit ausgestopftem Kopf und festsitzenden Zähnen. O Mann, toll! Dritter Preis: ein Eisbärenfell. Vierter Preis: ein lebendiges Pony. Fünfter bis zehnter Preis: Fahrräder! Wo gibt's die Lose zu kaufen?"

Anneli sah sich um. Ein achteckiger Pavillon mit spitzem Dach wandte ihnen am Rand des Kiesplatzes den Rücken zu. Sie glaubte, von der Vorderseite des Pavillons das Rattern eines Tombolarades hören zu können. Vielleicht gab es dort die Lose zu kaufen? Tante Tinne hatte ihre Schuhe noch nicht wieder angezogen.

„Komm, wir gehen rüber und schauen nach", schlug Anneli vor.

„Gehen?", schrie Nicklas. „Bist du verrückt? Wir rennen!"

Anneli konnte ihn gerade noch einholen, bevor er hinter dem achteckigen Pavillon verschwand.

„Wozu brauchst du denn ein Haus? Du kannst doch nicht hier unten in Dänemark leben, wenn wir andern in Stockholm wohnen", schimpfte sie. „Und du hast keine Ahnung, wie man ein Haus in Ordnung hält!"

„Glaubst du etwa, ich will ein Haus gewinnen?!", versetzte Nicklas verärgert. „Ich werde ein Pony gewinnen, das ist doch wohl klar!"

Das war das Gute mit Nicklas. Man brauchte nie zu befürchten, dass er irgendwelche schlimmen Dummheiten anstellte. Jetzt zog er eine rosa Seife aus der Tasche und fand eine dänische Krone, die darunter gelegen hatte. Anneli reichte ihm voller Vertrauen ihre eigene Krone. Er nahm beide und knallte sie schwungvoll der Losverkäuferin hin.

„Ich hätte gern ein Los", sagte er. „Aber eins mit einem Gewinn drauf!"

Nicklas und Anneli machen weiter, als wäre nichts passiert

Tante Tinne saß immer noch nichts Böses ahnend auf der Bank. Sie tat Anneli richtig leid, wie sie so dasaß. Fast wäre sie zu ihr hingegangen und hätte gesagt: „Sei nicht traurig, Tante Tinne. Wir können ja nichts dafür, dass wir immer so ein Glück haben." Aber das tat sie dann doch nicht, weil es besser war, Tante Tinne so lang wie möglich guter Dinge sein zu lassen. Und übrigens konnte man ja nicht ganz sicher sein, dass man gewonnen hatte, bevor die Ziehung stattgefunden hatte. Es soll ja angeblich Leute geben, die in Lotterien leer ausgehen! Das

Los lag schön ordentlich um die rosa Seife gewickelt in Nicklas Brusttasche und konnte nicht verloren gehen. Die Ziehung fand erst in zwei Tagen statt.

„Jetzt möchte ich Tee trinken!", sagte Tante Tinne. „Seit ihr weggerannt seid, habe ich an nichts anderes denken können als an Tee und jetzt halte ich es keinen Augenblick länger aus! Ich glaube, dort drüben ist ein Café."

Nicklas und Anneli begleiteten Tante Tinne zum Café hinüber und halfen ihr, die Bedienung herbeizuwinken. Sie sorgten dafür, dass ihre Tante doppelte Teebeutel bekam und zwei Zuckerwürfel, bevor sie sich selbst vor je einem Glas Himbeersaft, der aussah wie das Rote Meer, und ihren eigenen Kuchenstücken niederließen.

Nach dem Saft besichtigten sie noch Eulen und Bären und vieles mehr, bis Tante Tinne plötzlich weit hinten eine Gruppe Herren im Frack erblickte, die eifrig mit den Armen wedelten und mit den Füßen durch Wasser planschten. Bestimmt waren diese Herren nach dem Zoobesuch zu einem Festessen eingeladen, da wäre es doch vernünftiger gewesen, sich erst hinterher umzuziehen, fand Tante Tinne – bis sie nah genug herankam, um festzustellen, dass die Herren Schnäbel hatten.

„Hast du denn nicht gesehen, dass das Pinguine sind?", fragte Anneli erstaunt.

Tante Tinne musste herzlich lachen und erklärte, ohne Brille sähe sie nicht so gut. Aber kurz darauf wurde sie nörgelig, auf einmal schien ihr nichts mehr Spaß zu machen. Sie hatte keine Lust auf ein Wettrennen zum Schlangenhaus und wollte auch nicht mehr darauf warten, dass der Seehund irgendwann wieder aus dem Wasser auftauchte. Den Kindern war klar, dass ihre Tante allmählich müde wurde.

Als sie seufzend sagte:

„Jetzt müssen wir aber nach Hause!", fanden sowohl Anneli als auch Nicklas es besser, ihr nicht zu widersprechen.

„Seit vier Stunden sind wir schon hier unterwegs", sagte Tante Tinne. „Wenn ich gewusst hätte, dass mich eine solche Wüstenwanderung erwartet, hätte ich ein Kamel mitgenommen!"

Nicklas und Anneli lachten so freundlich wie möglich.

„Irgendwann muss man nach Hause und es ist immer ratsam, nach Hause zu gehen, wenn es am schönsten ist", erklärte Tante Tinne streng. „Und darum finde ich, dass wir uns schnurstracks auf den Heimweg machen!"

„Ist eine Wüstenwanderung für dich das Schönste, was es gibt?", erkundigte sich Nicklas höflich.

„Wenn ihr jetzt brav seid und mir folgt", sagte Tante Tinne flehend, „gehen wir nachher ganz vornehm aus, in ein Lokal, wo ihr selbst den Nachtisch aussuchen dürft. Eis mit Zuckerwatte, zum Beispiel, wäre das nicht besser als scheußliche alte Paviane?"

„Kann man tatsächlich Paviane mit Zuckerwatte essen?", fragte Nicklas verblüfft.

Doch da schien Tante Tinne plötzlich zu glauben, sie wollten ihr widersprechen. Sie blieb stehen und ließ den Blick von Nicklas zu Anneli wandern und von Anneli zu Nicklas.

„Ich fahre jedenfalls nach Hause!", erklärte sie aufgebracht. „Dann könnt ihr ja machen, was ihr wollt!"

Nicklas und Anneli erschraken. Aber Anneli wusste gleich, was sie sagen musste, um die Tante zu beruhigen.

„Ich komme mit, Tante Tinne", sagte sie. „Wenn du gehst, will ich auch gehen!"

„Ich auch", sagte Nicklas. „Hab das Wichtigste eigentlich gesehen!"

Da erhellte sich Tante Tinnes Miene wieder und sie winkte ein Taxi heran, das sie auf kürzestem Weg zum Hotel brachte. Anneli und Nicklas schauderten beim Gedanken an das viele Fahrgeld, das Tante Tinne auf diese Weise ausgab, hüteten sich aber, das zu erwähnen. Beim Taxifahren kamen sie sich so schön luxuriös vor, fast so, als wären sie Filmstars oder Millionäre.

Nicklas und Anneli saßen zu beiden Seiten von Tante Tinne im Fond des Taxis. Nicklas beugte sich über Tante Tinnes Schoß vor und flüsterte Anneli zu:

„Sollen wir ihr verraten, was wir gekauft haben?"

Anneli schielte zu Tante Tinne hinüber, doch die hörte nicht zu, sondern schaute interessiert aus dem Fenster.

„Noch nicht. Das wird eine Überraschung", flüsterte sie zurück.

„Wir können ihr doch sagen, was wir gekauft haben, aber nicht, was wir gewinnen werden?", flüsterte Nicklas.

„Keinen Ton!", entschied Anneli.

Im Hotel angekommen, begann Anneli, ihre Tante zu umsorgen.

„Willst du dich nicht ein bisschen ausruhen, Tante Tinne?", fragte sie. „Ich komme mit nach oben und lege dir eine Decke über die Füße."

Tante Tinne sah ausgesprochen dankbar aus. Aber gleichzeitig auch unglücklich, weil sie natürlich nicht wollte, dass Anneli und Nicklas sich währenddessen langweilten.

„Ich kümmere mich um Nicklas", erklärte Anneli. „Er folgt mir aufs Wort, wenn ich energisch werde."

„Und ich kann gut auf Anneli aufpassen", sagte Nicklas. „Ich brauche sie bloß anzugucken, dann zittert sie schon vor Angst!"

„Ihr müsst lieb zueinander sein", ermahnte Tante Tinne. „Und geht nirgends hin, ohne es mir zu sagen. Ich möchte mich vor dem Abendessen nur ein Weilchen ausruhen. Kann ich mich darauf verlassen, dass ihr so lange aufeinander aufpasst?"

„Na klar", versicherten beide im Chor. „Wir gehen nirgends hin, laufen bloß einmal um den Block und gucken die Schaufenster an."

„Ihr dürft keine Straßen überqueren. Der Verkehr hier ist viel schlimmer als bei uns in Schweden, da kann man leicht überfahren werden, wenn man nicht daran gewöhnt ist!"

Dann ging sie mit Anneli auf ihr Hotelzimmer, wo Anneli sie mit einer blauen und einer roten Wolldecke zudeckte, ihr aus dem großen Reisekoffer ein Buch aussuchte, die Lampe so hindrehte, dass sie Tante Tinne nicht blendete, und das Rollo herunterzog. Tante Tinne seufzte zufrieden auf und gab Anneli zwei dänische Kronen, eine für sie selbst und eine für Nicklas, damit sie etwas in Reserve hatten, während sie aufeinander aufpassten. Dann verließ Anneli das Zimmer und schloss leise die Tür hinter sich.

Nicklas wartete unten am Empfang. Sie schauten auf die Uhr, um zu wissen, wann Tante Tinne sich fertig ausgeruht haben würde, und liefen dann aus dem Hotel, um mit der rosa Seife an die nächste Hausecke KAUFT LOSE zu schreiben. Nicklas fand nämlich, dass möglichst viele Leute von der tollen Lotterie im Zoologischen Garten erfahren sollten. Eine so gute Lotterie musste unterstützt werden, damit sie auch weiterhin so fabelhafte Lose verkaufte, im Gegensatz zu den üblichen Lotterien, wo man nur langweiliges Zeug wie Porzellanvasen und Tischdecken gewinnen konnte.

Doch als er an der nächsten Straßenecke ankam, ging ihm auf, dass dies ein Fehler war. Je mehr Leute Lose kauften, desto mehr hatten die Chance, an seiner Stelle ein Pony zu gewinnen. Also musste Anneli warten, während Nicklas zurückrannte und noch ein Wort an die Straßenecke schrieb. KAUFT *KEINE* LOSE, stand jetzt da.

„Was sollen wir mit unserem Reservegeld machen?", fragte Anneli.

„Noch ein Los kaufen, natürlich. Dann gewinnen wir vielleicht auch noch ein Tigerfell" , sagte Nicklas.

Sie gingen zweimal um den Block, bis sie endlich einen Zeitungskiosk entdeckten, der vermutlich die ganze Zeit schon an dieser Stelle gewesen war. Dort erstanden sie ein zweites Los für die Lotterie des Zoologischen Gartens. Sie wickelten es ebenfalls um die Seife und umrundeten den Block dann noch ein letztes Mal. Es war ein großartiges Gefühl, ganz allein hier im Ausland herumzulaufen, wo alle Menschen ringsum dänisch sprachen und alle Briefkästen rot waren statt gelb.

„Aber eigentlich hatte ich es mir komischer vorgestellt", sagte Nicklas. „Ich hab geglaubt, man fühlt was in den Füßen, wenn man zum ersten Mal auf dänischem Boden steht."

„Wie sollte sich das denn anfühlen?"

„Wie der Unterschied zwischen Kies und Sand, ist doch klar! Oder wie der zwischen einer Wiese und einem Stoppelfeld."

„Wenn du Schuhe anhast? Durch die Schuhsohlen kannst du doch nichts fühlen", sagte Anneli.

Aha, das war der Grund! „Sollen wir mal die Schuhe ausziehen und ausprobieren, ob wir dann was fühlen?"

Zuerst hatte Anneli keine Lust, doch schließlich folgte sie Nicklas in einen Hauseingang, zog Schuhe und Strümpfe aus und lief ein Weilchen barfuß, um Dänemark zu fühlen. Ehrlich gesagt fühlte sie nichts Besonderes.

Als sie wieder im Hotel ankamen, war Tante Tinne gerade erst vor fünf Minuten aufgewacht.

Beim Essen im Restaurant Drachman durfte jeder sich zwei Nachtische bestellen, dann schrieb Tante Tinne wieder eine Ansichtskarte nach Stockholm, während sie auf die Rechnung wartete.

Ihr Lieben,

der Besuch des Zoologischen Gartens war sehr gelungen. Das Wetter war schön und das einzige Ereignis war, dass Nicklas' Mütze ins Elefantengehege fiel. Ich kaufe ihm eine neue, wenn wir wieder zurück sind. Gegen Ende wurden die Kinder durch die vielen neuen Eindrücke etwas müde und quengelig, aber inzwischen haben wir uns ausgeruht und alles ist wieder gut. Ich glaube, die Antilopen haben Anneli am besten gefallen, Nicklas mochte den Mungo besonders gern. Ich für mein Teil habe vorerst genug von wilden Tieren und werde so schnell keinen Fuß mehr in einen Zoo setzen.

Liebe Grüße von Tante Tinne

PS: In diesem Jahr jedenfalls nicht mehr.

Das war, was Tante Tinne am Dienstag glaubte.

Eile mit Weile im Museum

„Heute gehen wir in die Glyptothek", verkündete Tante Tinne am Mittwoch.

„Kann man da Lose für die Lotterie des Zoologischen Gartens kaufen?", fragte Nicklas.

„Sei still!", zischte Anneli.

Nein, sagte Tante Tinne, die Glyptothek sei nämlich ein Museum, wo es schöne Skulpturen von berühmten Bildhauern zu sehen gäbe, aber Lose könne man dort nicht kaufen. Und das sei auch besser so, weil man bei Lotterien ja sowieso nie etwas gewinne, fügte sie hinzu. Das sei bloß hinausgeworfenes Geld.

Anneli und Nicklas schauten einander an. Wenn Tante Tinne jetzt recht hätte! Dann hätten sie das viele Geld einfach weggeworfen, anstatt Eis dafür zu kaufen! Vier ganze Kronen für nichts und wieder nichts! Das wäre ja fürchterlich! Aber Anneli schüttelte den Kopf und hob mit einem Blick zu Nicklas die Augenbrauen. Das sollte bedeuten: „Mach dir keine Sorgen! So was sagen Tanten bloß, wenn sie glauben, man hätte kein Los gekauft. Sie wollen einen unbedingt von dem Gedanken an Lose ablenken, damit ja niemand auf die Idee kommt, auf der Suche nach einem Losstand lange durch die Gegend zu laufen." Nicklas seufzte und bereitete sich innerlich darauf vor, mit Tante Tinne ins Museum zu gehen.

Den Weg ins Museum wollte Tante Tinne heute zu Fuß zurücklegen. Vorsichtshalber hielt sie sich immer dicht an die Hauswände, damit die Kinder nicht in den Verkehr hinausstolpern und überfahren werden konnten, falls sie einen plötzlichen Rappel bekämen und einfach losrasten. Aber Nicklas und Anneli blieben schön brav an ihrer Seite. Als Erstes gingen sie zum Rathausplatz, wo sie an einem Kiosk Sandwichpakete erstanden.

„Wie viele Brote schafft ihr?", fragte Tante Tinne. „Es gibt verschiedene Sorten: Schulpakete, Touristenpakete, Goldpakete …"

„Ein Goldpaket, das klingt am besten", fand Anneli und Nicklas pflichtete ihr bei.

„Da sind sechs Sandwichs drin, schafft ihr wirklich so viele?"

„Kein Problem", erklärte Nicklas.

Also kaufte Tante Tinne ihnen zwei Goldpakete und für sich selbst ein Schulpaket.

Dann folgten sie einer Straße, die H.C. Andersen Boulevard hieß und zur Glyptothek führte, einem großen roten Backsteinbau, in dessen Inneren Palmen wuchsen. Die Palmen reichten bis unter die Decke und auf den Palmenstämmen saßen weiße und rosa Orchideen, die in der Palmenrinde wurzelten. Inmitten der Palmen lag ein Goldfischteich und in dem Teich streckte sich eine üppige Dame aus Marmor aus, auf der kleine weiße Marmorkinder herumkullerten und herumkrabbelten. Anneli zählte sie. Es waren vierzehn Stück.

„Das hier ist eine Skulptur von Kai Nielsen. Sie heißt ‚Die Wassermutter‘", erläuterte Tante Tinne.

„Wirklich schön", sagte Nicklas höflich. „Die haben wir also gesehen. Können wir jetzt gehen?"

Doch da erklärte Tante Tinne, das sei erst der Anfang. Die anderen Räume seien auch voller Skulpturen. Nicklas seufzte. Er steckte einen Finger in den Goldfischteich, um zu testen, ob die Fische erschraken. Das taten sie nicht. Stattdessen kam einer angeschwommen und biss ihn in den Finger. Tante Tinne und Anneli gingen schon mal in den Saal mit den ägyptischen Skulpturen.

„Können wir nicht lieber in den Zoo fahren?", schlug Nicklas vor. „Da gibt's viel mehr Löwen und Panther."

„Hier gibt es auch viele Tiere", sagte Tante Tinne. „Schau dir mal die Affen, Ochsen und Ibisvögel an, die die Ägypter an die Wände ihrer Grabkammern gemalt haben. Oder diesen Diener, der eine Ente festhält, die davonfliegen will. Und hier, ein Mann, der einen Hirsch trägt. Die Ägypter malten alles, was der Tote ihrer Meinung nach auf seiner langen Reise ins Totenreich brauchte."

„Ich mag echte Tiere lieber", sagte Nicklas. „Aber keine Goldfische."

„Diese Bilder sind Tausende von Jahren alt, ist das nicht unglaublich!", rief Tante Tinne aus.

Sie gingen weiter und kamen in einen Saal, wo lauter Köpfe aus Marmor längs der Wände auf Säulen aufgestellt waren.

„Stellen hier Kopfjäger ihre Schätze aus?", fragte Nicklas interessiert. Das war es jedoch nicht. Die Köpfe waren Porträts von römischen Kaisern, die aus der Erde ausgegraben worden waren. Da wurde Nicklas wieder müde.

„Paviane gefallen mir besser", sagte er. „Ich will wieder in den Zoo."

Tante Tinne tat so, als würde sie ihn nicht hören, und Anneli fand, dass Nicklas nervte. Ihr machte es Spaß, die Skulpturen anzugucken. Die Köpfe erinnerten sie an Leute, die sie kannte. Einer sah aus wie ihre Englischlehrerin und ein anderer wie der Metzgermeister daheim in Stockholm. Kein einziger sah den anderen ähnlich. Unglaublich, wie viele verschiedene Nasen, Augen und Kinne es gab! Anneli beschloss, nur noch die Nasen anzuschauen, um sich besser konzentrieren zu können. Dann würde sie sich vielleicht an sämtliche Nasen in der Glyptothek erinnern und könnte sie zeichnen, wenn sie nach Hause kam. Sie formte die Hände zu einem Fernglas und betrachtete die

Nasen der Reihe nach. Aber schon nach sechzehn Nasen hatte sie die ersten vergessen. Sie senkte die Hände, um sich ein Weilchen auszuruhen.

„Wo ist Nicklas abgeblieben?", fragte Tante Tinne.

Beide sahen sich um. Nirgends eine Spur von Nicklas. Er war weder in dem Saal mit den ägyptischen Bildern noch steckte er irgendwo zwischen den römischen Marmorköpfen.

„Du suchst am besten in diese Richtung, dann gehe ich in die andere. Wir treffen uns nachher am Eingang!"

Anneli machte sich in ihre Richtung auf den Weg. Es war ein seltsames Gefühl, die stillen Säle so ganz allein zu durchqueren. Nur die vorsichtigen Schritte der Besucher und das Klappern ihrer eigenen Absätze waren zu hören. Sie kam in einen neuen Saal, in dem ganze Marmormenschen standen, nicht bloß Köpfe. Ihr wurde ganz kalt beim Anblick der vielen nackten, regungslosen Gestalten. Am liebsten hätte sie alle in Decken gewickelt, um sie zu wärmen. Vor einem kleinen Marmormädchen, das weinend auf dem Bauch lag, blieb sie stehen und streichelte es vorsichtig. Warum weinte es wohl? War sein Bruder verloren gegangen, so wie bei Anneli, oder hatte es etwas noch Traurigeres erlebt? Vielleicht hatte es ein Los aus dem Zoologischen Garten verloren und hatte kein Geld mehr, um ein neues zu kaufen? Womöglich hatte es geglaubt, es würde ein niedliches kleines Pony gewinnen, und dann war nichts daraus geworden? Anneli kamen auch die Tränen, als sie daran dachte.

„Sei nicht traurig, Anneli, ich habe ihn gefunden", sagte Tante Tinne plötzlich neben ihr.

„Ich hab nicht an Nicklas gedacht, sondern an dieses Mädchen, das nicht in den Zoo darf", sagte Anneli betrübt.

„Fängst du jetzt auch damit an!", rief Tante Tinne verärgert. „Komm jetzt mit und iss deine Sandwichs. Nicklas sitzt bereits am Goldfischteich und hat seine Brote auf dem Beckenrand aufgereiht. "

Anneli seufzte und folgte Tante Tinne.

Die Brote schmeckten gut. Anneli hatte eins mit Leberpastete, eins mit Ei und Majonäse, eins mit Schinken, eins mit Käse, eins mit Salami und eins mit kaltem Braten. Sie trödelte beim Essen, denn sie wollte verhindern, dass Nicklas Letzter wurde und noch etwas Gutes übrig hatte, wenn sie schon fertig war. Aber Nicklas kaute so langsam, dass immer noch ein ganzes Sandwich mit Fleischbällchen vor ihm lag, als Anneli bereits ihren letzten Krümel verdrückt hatte.

„Das nehm ich mit in den Zoo", teilte er mit. „Dann füttere ich es dem Vogel Strauß."

„Kann ein Mensch verstehen, warum ihr schon wieder in den Zoo wollt, nachdem wir gerade erst dort gewesen sind!", sagte Tante Tinne. „Das macht doch überhaupt keinen Spaß, ein zweites Mal hinzugehen, oder?"

„Doch, doch, doch", riefen Anneli und Nicklas im Chor. „Wir müssen unbedingt noch mal in den Zoo! Sonst können wir nicht weiterleben!"

„Na, dann werde ich mir die Sache wohl noch einmal überlegen müssen", sagte Tante Tinne. „Aber jetzt gehen wir zum Schloss Amalienborg und schauen dort die Wachparade an!"

Anneli und Nicklas wechselten erleichterte Blicke. Wenn alles gut ging, hatten sie vielleicht doch noch die Chance, rechtzeitig zur Ziehung der Lose wieder im Zoo zu sein.

„Los, steh auf, Nicklas, sitz nicht so faul da! Tante Tinne wartet!", sagte Anneli streng.

Nachdem sie vor dem Schloss des dänischen Königs die Soldaten mit den hohen schwarzen Bärenfellmützen bewundert hatten, holte Tante Tinne eine Ansichtskarte heraus, die sie in der Glyptothek erstanden hatte, und schrieb wie immer ein paar Zeilen nach Stockholm:

Ihr Lieben,

heute haben wir uns um Bildung bemüht, wie Ihr an der schönen Skulptur auf dieser Karte sehen könnt. Wir waren viele Stunden in der Glyptothek. Nicklas wurde von einem Goldfisch gebissen, ansonsten fand er alles sehr schön. Die Kinder können nicht vergessen, wie viel Spaß wir im Zoo hatten, und reden nur noch davon, wieder hinzugehen. Aber ich werde mir schon etwas einfallen lassen, um sie auf andere Gedanken zu bringen.

Herzliche Grüße von uns allen

Eure Tinne

Das war, was Tante Tinne am Mittwoch glaubte.

„Vergiss nicht zu schreiben, dass wir morgen in den Zoo gehen!", rief Nicklas, kaum dass die Wachparade zu spielen aufgehört hatte.

Nicklas und Anneli und
der große Augenblick

„Bin ich froh, dass wir wieder hier sind", sagte Anneli, als sie am folgenden Tag in den Zoologischen Garten kamen. „Hab mich jede Sekunde hierhergesehnt."

„Ich auch", sagte Nicklas. „Guck mal, die Lamas! Sind die nicht toll?"

„Ja, und die Elefanten erst", sagte Anneli. „Wie die sich hin und her wiegen!"

„Ich verstehe gar nicht, dass ihr auf einmal so tierlieb gewor-den seid", sagte Tante Tinne. „Am liebsten würdet ihr sie wohl alle nach Hause mitnehmen, aber daraus wird nichts! Ich hab genug damit zu tun, auf euch zwei aufzupassen."

Tante Tinne lachte. Nicklas und Anneli dachten an einen im höchsten Maß lebendigen Lotteriegewinn, den sie sehr gern nach Hause mitnehmen würden.

Heute am Tag der Ziehung waren sie nicht mehr so sicher, dass sie Glück haben würden.

„Wie viele Lose gibt es wohl in so einer Lotterie, Tante Tinne?", fragte Nicklas und deutete auf den ersten Preis, das Haus inklusive Möbel, an dem sie gerade vorbeigingen.

„Oh, ich nehme an, ein paar Tausend oder so", sagte Tante Tinne zerstreut.

„Tausend!", rief Nicklas aus. „Du meinst doch bestimmt hundert? Nein, nicht hundert, das sind viel zu viele! Vielleicht sind es bloß fünfzig Lose? Oder zwanzig bis fünfundzwanzig?"

„O nein", sagte Tante Tinne. „So wenige können es nicht sein. Die Einnahmen durch die Lose müssen für die Preise reichen und trotzdem muss auch noch Geld übrig bleiben, sonst verdienen sie ja gar nichts an der Sache."

„Ein ganzes Haus, eine Menge Fahrräder und Tierfelle und lebendige Tiere! O je, das kostet bestimmt Millionen", seufzte Anneli. „Da muss es ja endlos viele Lose geben!"

„Sprechen wir nicht mehr darüber!", befahl Nicklas und starrte Anneli und Tante Tinne zornig an, als hätten sie etwas Unpassendes gesagt.

Er lief voraus zum Raubtierhaus, um festzustellen, ob dort noch genauso viele Tiger waren wie beim letzten Besuch oder ob einer von ihnen inzwischen schon zu einem Tigerfell mit fest-sitzenden Zähnen geworden war.

Tante Tinne kam mit hochgezogenen Augenbrauen hinterher. Anneli hakte sich schnell bei ihr ein, führte sie zu einer beque-men Holzbank unter einem schönen Baum und schlug ihr vor, sich dort hinzusetzen.

„Willst du nicht eine Weile hier sitzen und dir Steinchen aus den Schuhen holen?", fragte sie. „Nicklas und ich können die Tiere so lange alleine angucken, dann wirst du nicht so schnell müde. Ich verspreche, dass wir gut aufeinander aufpassen."

„Von mir aus", sagte Tante Tinne. „Natürlich kann ich ein Weilchen hier sitzen bleiben. Mit irgendwelchen Steinchen in den Schuhen kann ich zwar nicht dienen, aber wenn ich schon unbedingt hier sitzen muss, habe ich ja meine Topflappen dabei, die werde ich häkeln. Langweilig wird mir also nicht, keine Bange!"

„Vielen Dank, liebe Tante Tinne, wir kommen gleich wieder zurück", rief Anneli und rannte hinter Nicklas her.

Sie mussten unbedingt herausfinden, ob die Preisverteilung schon stattgefunden hatte oder wann sie sein würde. Beide lie-fen schnell zum Losstand. Der kleine achteckige Pavillon war geschlossen und verriegelt, aber an der Rückseite, wo die Ver-kaufsluke gewesen war, hing ein großes Plakat. „Preisverteilung um 13 Uhr am Musikpodium", stand da.

Nicklas und Anneli rannten los. Die Preisverteilung hatte schon begonnen! Sie hatten zwar keine Ahnung, wo das Musik-podium lag, aber nachdem sie eine Zeitlang kreuz und quer durch die Gegend geflitzt waren, erblickten sie weiter hinten unter den Bäumen eine große Menschenmenge. Aha, dorthin mussten sie also. Auf einer Bühne stand ein Mann mit einem Megafon in der Hand und rief irgendwas über die Köpfe der Menge hinweg. Nicklas und Anneli machten eine Vollbremsung, um nicht mit dem Kopf voraus in der Menschenmasse zu landen, und versuchten, sich dann vorsichtig nach vorn zu drängen, kamen aber nicht weit. Sie mussten stehen bleiben, um zu hören, was der Mann rief. Mit zitternden Fingern zog Nicklas die rosa Seife aus der Tasche und wickelte die beiden Lose ab. Das eine hatte die Nummer 96688 und das andere die Nummer 107. Sie hörten den Ausrufer schreien:

„Meine Damen und Herren! Die Ziehung der erstklassigen Lotterie des Kopenhagener Zoologischen Gartens hat nun stattgefunden und ich habe das große Vergnügen, Ihnen die Gewinnnummern mitzuteilen. Die gesamte Ziehungsliste wird morgen unter der Rubrik „Persönliches" in der *Berlingske Tidende* veröffentlicht werden …"

„Oh, ich hab solche Angst, dass wir dieses olle Haus gewonnen haben", flüsterte Anneli.

„Wenn wir niemandem verraten, dass wir die Gewinner sind, brauchen wir es ja nicht abzuholen. Hauptsache, wir haben mit dem zweiten Los das Pony gewonnen. Das mit dem Haus ist dann egal", sagte Nicklas.

Anneli zwickte ihn, damit er den Mund hielt. Der Ausrufer hatte in seine Papiere geschaut und hob jetzt wieder das Megafon.

„Das komplett möblierte Wochenendhaus auf wahlfreiem Platz im Umkreis von hundert Kilometern um Kopenhagen fällt auf die Nummer 21303 ...“, ertönte es.

„Super!“, rief Nicklas.

„So ein Glück!“, seufzte Anneli.

Sie warteten erneut. Der Ausrufer fuhr fort:

„Der zweite Preis, das neu aufgearbeitete Tigerfell des Prachttigers Maharadscha, der letzten Herbst im Zoologischen Garten an Lungenentzündung verstarb, geht an den Inhaber der Nummer 14211 ...“

Diesmal waren Nicklas und Anneli allerdings enttäuscht. Ein Tigerfell hätten sie gerne gehabt. Vor allem eins mit festsitzendem Kopf. Anneli hatte vorgehabt, es vor ihr Bett zu legen. Es wäre bestimmt gemütlich gewesen, spannende Bücher darauf zu lesen. Nicklas hätte es unter den Schreibtisch gelegt, um die Füße darauf zu stellen und sich einzubilden, ein zahmer Tiger würde während der Hausaufgaben auf ihn warten.

„So ein Pech“, sagte Nicklas.

„Echt schade!“, sagte Anneli.

„Das Eisbärenfell geht an die Nummer 14912“, schrie der Ausrufer.

„Das auch nicht!“ Anneli war empört. „Wir haben doch Nummer 96688 und 107! Das ist aber eine richtig miese Lotterie!“

Nicklas stampfte auf den Boden.

„Das ist Beschiss“, sagte er. „Bestimmt lesen die bloß erfundene Nummern vor, damit sie alles selbst behalten dürfen! Diese glücklichen Gewinner, die dann in die Zeitung kommen, das sind bloß ausgestopfte Menschen, die sie fotografiert haben."

„Jetzt sei doch still!", zischte Anneli.

Der Ausrufer holte wieder Luft:

„Weiter möchte ich mitteilen, dass der Super-super-super-Liebling des Zoologischen Gartens, das Zwergpony Jasper Pompiliam von Klampenburg an die Nummer 96688 geht!"

„Was?", sagte Nicklas.

„Ist das nicht unsere Nummer?", sagte Anneli.

Dann stießen sie ein zweistimmiges Gebrüll aus, dass alle Menschen sich umdrehten. Anneli packte Nicklas am Ärmel und hüpfte mit ihm auf und ab, bis seine Jacke fast heruntergerutscht wäre.

„Das darf doch nicht wahr sein! So ein Wahnsinn! Das ist doch nicht möglich!", rief sie. „Wir haben ihn gewonnen!"

Doch da beruhigte sich Nicklas.

„Ist doch klar, dass wir ihn gewonnen haben", sagte er. „Komm, das müssen wir Tante Tinne erzählen!"

Sie stürzten in Richtung Raubtierhaus davon, beide wollten die Neuigkeit als Erster verkünden. Aber je länger sie unterwegs waren, desto langsamer wurden ihre Schritte. Anneli blieb stehen.

„Warte mal", sagte sie. „Was ist, wenn wir das Pony nicht behalten dürfen?"

„Nicht behalten dürfen? Warum denn das nicht?"

Nicklas starrte sie an.

„Weil es die Wohnung verdreckt und solche Sachen. Und die

Vorhänge auffrisst. Und nicht in den Fahrstuhl passt! Erwachsene sind immer so pingelig, das weißt du doch."

„Die können einem doch nicht den eigenen inklusiven Lotteriegewinn wegnehmen!" Nicklas sah sie vollkommen erschüttert an. „ Ein eigenes inklusives Pony?!"

„Klar können sie das! Und hör auf, Wörter zu benützen, die du nicht verstehst. Ich weiß genau, was sie sagen werden: ‚Das ist Tierquälerei' und: ‚Frag erst mal den Hausmeister!' Und Tante Tinne sagt natürlich: ‚Schickt zuerst ein Telegramm an die Eltern', ist doch logisch!"

Nicklas brachte keine Antwort mehr heraus. Er ließ sich einfach auf eine Bank plumpsen, die gerade günstig in der Nähe stand, und stöhnte. Auf eine so wahnwitzige Idee wäre er nie im Leben gekommen. Aber Anneli versuchte, ihn zu trösten.

„Selbstverständlich behalten wir das Pony", sagte sie. „Aber wir brauchen nicht unbedingt jetzt gleich zu erzählen, dass wir es gewonnen haben. Wir holen es erst mal ab und bringen es nach Hause, damit Mama und Papa sehen, wie süß es ist. Dann haben wir vielleicht eine Chance."

Nicklas erwachte wieder zum Leben.

„Au ja, so machen wir das! Von Kopenhagen nach Stockholm ist es schließlich nicht weit! Immer nur geradeaus!"

„Aber ich hole es allein ab!", beeilte sich Anneli zu sagen.

Nicklas sackte wieder zusammen, aber nur, weil er Anneli dazu bewegen wollte, ihn mitzunehmen. Sie sah, wie er sich anstellte.

„Ich bin älter und vernünftiger. Ich mach das!", erklärte sie.

„Dort drüben sitzt Tante Tinne. Sag ihr, ich hätte mich verlaufen und sei bestimmt schon im Hotel. Kein Sterbenswörtchen darüber, dass wir etwas gewonnen haben! Aber lügen darfst du auch nicht! Dann werden sie hinterher bloß sauer."

„Keine Angst", sagte Nicklas. „Als ob ich nicht wüsste, wie man so spricht, dass niemand es versteht!"

Mit hängendem Kopf bewegte er sich schleppenden Schrittes auf Tante Tinne zu. Sie war gerade damit beschäftigt, eine Ansichtskarte nach Stockholm zu schreiben:

Ihr Lieben,

hier sind wir jetzt wieder im Zoo und ich gähne mit dem Tiger auf dieser Karte um die Wette. Aber ich habe es nicht über mich gebracht, die Kinder zu enttäuschen, nachdem sie so gern wieder hierher wollten. Ich glaube, sie hatten sich vorgenommen, für zwei Kronen, die ich ihnen geschenkt hatte, in der Lotterie des Zoologischen Gartens Lose zu kaufen und damit ein hübsches Mitbringsel für zu Hause zu gewinnen. Ich habe ihnen klar gemacht, dass man in einer Lotterie nie gewinnt, doch darauf wollten sie nicht hören. Nicklas kommt soeben zurück, es ist ihm von Weitem anzusehen, dass sie nichts gewonnen haben. Aber ich werde ihn schon wieder aufmuntern!

Liebe Grüße von eurer Tinne

Das war, was Tante Tinne am Donnerstag glaubte.

Jasper Pompiliam von Klampenburg

Anneli lief schnell zu dem Platz unter den Bäumen zurück und schlängelte sich durch die Menschenmenge zur Bühne vor, um den Ausrufer zu fragen, wo das Pony abgeholt werden sollte. Sie stellte sich auf die Zehenspitzen und zupfte ihn an den Hosenbeinen. Er las gerade eine lange Liste mit langweiligen Nummern vor, lauter Fahrradgewinne.

„Hier ist das Gewinnerlos, wo ist unser Pony?", rief sie.

Der Ausrufer starrte sie verständnislos an, doch dann drehte er sich einfach um und deutete nach rechts. Neben dem Musikpodium stand ein Mann im Arbeitsanzug, der ein kleines weißbraun geschecktes Pony am Zügel hielt. Das Pony war das winzigste Pferd, das Anneli je gesehen hatte. Und das struppigste. Und das lebhafteste. Und das niedlichste.

„Aha, du bist also das Fräuleinchen, das unseren Jasper gewonnen hat", sagte der Wärter, als sie mit ihrem Los ankam. „Na, da bin ich aber froh! Da wird er es gut haben, das sehe ich. Genau das hat er sich nämlich gewünscht, eine handfeste kleine Person, die nicht gleich auseinanderbricht, wenn er mal ausschlägt. Warme Hände und blaue Augen sollte sie auch haben, hat er mir gesagt. Und das stimmt ja ganz genau!"

Der Wärter war sehr redselig. Anneli hätte Jasper am liebsten mitgenommen und an einen abgelegenen Platz geführt, um ihn ungestört bloß anzugucken. Doch der Wärter bestand darauf, dass sie zum Stall mitkam, um Jaspers Sachen abzuholen. Sie strich dem Pony vorsichtig über den Rücken und über die Nase. Jasper schüttelte den Kopf und lachte.

„Jasper. Mein eigener kleiner Jappi!", sagte Anneli.

„Er hat dich gern, mein kleines Fräulein, das sieht man gleich", sagte der Wärter.

„Ist er sehr wild?", fragte Anneli.

Sie überlegte, wie sie es schaffen sollte, ihn ganz allein durch Kopenhagen zu führen, obwohl sie keine Ahnung vom Weg hatte.

„Nein, nein, er ist lammfromm, aber natürlich dickköpfig wie ein rotes Schwein. Das sind sie alle, diese kleinen Zwergponys. Sie bleiben ihr Leben lang im Trotzalter, weil sie ja nie größer werden. Du kennst dich wohl mit Pferden aus, nehme ich an?"

„O nein", sagte Anneli schüchtern. „Ich meine ... irgendwie schon. Wenigstens beinah. Ich hab mal Kanarienvögel gehabt!"

„Aha, na, das ist ja fast ein und dasselbe", sagte der Wärter. „Die braucht man bloß mit Körnern zu füttern und dann muss man aufpassen, dass sie nicht davonfliegen. Genauso läuft das mit Ponys, nur dass die Möhren und Gras und Brot und Wasser und Häcksel brauchen und gekämmt, gestriegelt und beschlagen werden müssen, und Bewegung brauchen sie auch, sonst werden sie zu dick. Ansonsten ist alles gleich."

„Das werde ich mir merken", sagte Anneli.

„Ja, ja, wird schon alles gut gehen", sagte der Wärter. „Denk dran, ihm die Stirn zu kraulen und ihm das rechte Hinterteil zu streicheln, wenn er bockig wird, dann beruhigt er sich, das hat er gern. Und jetzt, mein Fräulein, brauche ich noch eine Unterschrift auf diese Quittung, dann gehört er dir!"

Er reichte Anneli einen Kuli. Es war ein seltsames Gefühl, etwas als Pferdebesitzerin zu unterschreiben, sie spürte ein Kribbeln bis in den Magen. Vorsichtig und langsam schrieb sie *Anneli Nilson* an die Stelle, die der Wärter ihr zeigte. Dann gab sie ihm den Stift zurück und packte Jasper an der Mähne.

„Komm, jetzt gehen wir", sagte sie.

Aber so einfach lief das nicht. Der Wärter musste ihm vorher noch das Zaumzeug anlegen. Der Zoologische Garten schickte seine Kinder nicht so ohne Weiteres in die Welt hinaus. Anneli bekam eine Schultertasche aus Stoff, die eine Nachtdecke, eine Bürste und einen Striegel enthielt, dazu einen kleinen Sack mit Heu und ein Büschel Möhren. Der Wärter füllte ihre Manteltasche noch mit Zuckerwürfeln, als Hilfe für den Anfang, bis Jasper gelernt hatte, ihr zu gehorchen. Endlich durfte Anneli gehen. Sie führte Jasper um die Ecke des Stalles, dann blieb sie stehen und sah ihn lange an, genau, wie sie es sich vorgestellt hatte. Jasper sah sie ebenfalls an und schüttelte wieder den Kopf. Er war wirklich so süß, wie ein Pferd überhaupt sein kann.

„Wenn du nicht nach Stockholm mitfahren darfst, Jasper, dann fahre ich auch nicht", sagte Anneli, als sie weitergingen.

Sie kamen am Affenfelsen und an der Schlangengrube vorbei. Jasper schnaubte die Schlangen an und beim Affenfelsen legte er die Ohren zurück. Am Vogelteich blieb er stehen und wollte trinken. Anneli sah weit und breit niemanden, der etwas dagegen haben könnte, und ließ ihn ausgiebig seinen Durst löschen. Die Flamingos flatterten vorwurfsvoll, doch da wieherte Jasper so laut, dass sie sich erschrocken verzogen. Anneli musste ihn unbedingt noch einmal streicheln, weil er so tüchtig war.

Sie wollte sich möglichst vorsichtig der Bank nähern, wo Tante Tinne gesessen hatte, um festzustellen, ob Nicklas sie inzwischen weggelotst hatte. Doch während sie nach Tante Tinnes blauem Mantel Ausschau hielt, wurde sie plötzlich von mehreren Personen umringt, die alle Kameras in den Händen hielten.

„Ha, hier ist sie!", schrien sie. „Bleib bitte kurz stehen, wir brauchen ein Bild für die Zeitung."

Anneli setzte brav ihre Fotomiene auf, doch dann fiel ihr ein, wie ungern sie sich eigentlich fotografieren ließ. Und in die Zeitung wollte sie schon gar nicht kommen. Nicht auszudenken, wenn Tante Tinne das Bild zu sehen bekäme! Doch die Fotografen hielten ihre Kameras bereits hoch, drehten und wendeten sie hin und her und rückten immer näher.

„So, bitte lächeln! Achtung, fertig, und schnapp!", rief einer und knipste drauflos.

Anneli schlug sich schnell die Hände vors Gesicht.

„Nein, nein, nein, so geht das nicht", rief der Fotograf. „Wer wird denn so schüchtern sein! Wo du doch ein Pony gewonnen hast und alles. So, noch einmal von vorn!"

Knips! Anneli kniff die Augen zu und schnitt eine Grimasse.

„Was soll denn der Unfug!", beschwerte sich ein anderer Fotograf drohend. „Selbstverständlich willst du in die Zeitung kommen!"

„Ich kann nichts dafür. Das mach ich immer so, wenn ich fotografiert werde", murmelte Anneli.

Aber inzwischen hatten die Fotografen die Geduld verloren und knipsten einfach wild drauflos und Anneli musste sich beeilen, möglichst schnell Grimassen zu schneiden, die Nase zu rümpfen und die Unterlippe nach außen zu stülpen, damit ja niemand sie auf den Fotos erkennen würde. Die Fotografen wurden allmählich richtig sauer. Der Einzige, dem es Spaß machte, war Jasper. Er warf den Kopf zurück und stieß ein wieherndes Gelächter aus, sodass alle zusammenfuhren. Dann schoss er im Galopp aus der Menge und Anneli musste wohl oder übel hinter ihm herrennen.

„Das hast du gut gemacht, Jasper!", flüsterte Anneli, als sie ihn bei den Pfauen eingeholt hatte. „Jetzt müssen wir es nur irgendwie schaffen, ins Hotel zu kommen."

Sie schaute in alle Richtungen, um sich zu vergewissern, dass keine Tante in Sicht war. Alle Leute ringsum starrten sie an und viele Kinder kamen angelaufen und wollten Jasper streicheln, aber von Tante Tinne und Nicklas war nichts zu sehen.

Da packte sie Jasper mit der einen Hand fest am Zügel, hielt seinen Heusack in der anderen und marschierte direkt auf den Ausgang des Zoologischen Gartens zu.

Nicklas und ein Problem auf vier Füßen

Nicklas saß mit Tante Tinne im Hotelzimmer und hielt ihre
Hand. Eigentlich verabscheute er es, Leute an der Hand zu halten, aber diesmal musste er eine Ausnahme machen. Tante Tinne tat ihm schrecklich leid, weil sie sich solche Sorgen machte.
Zuerst war Nicklas auf der Suche nach Anneli mit Tante Tinne
durch den Zoologischen Garten getrabt und hatte die ganze
Zeit befürchtet, versehentlich tatsächlich auf seine Schwester zu
stoßen. Dann hatte Tante Tinne einen Wärter gebeten, Anneli
durch den Lautsprecher ausrufen zu lassen und sie aufzu-
fordern, sich sofort im Hotel zu melden, wenn sie gefunden

worden sei. Und schließlich waren Tante Tinne und Nicklas mit dem Taxi ins Hotel gefahren, um rechtzeitig dort zu sein, bevor Anneli anrief. Nicklas war fix und fertig. Aber das war gar nichts im Vergleich mit der bedauernswerten Tante Tinne.

„Ich muss die Polizei anrufen!", sagte sie. „Ich muss den Rettungsdienst anrufen! Ich muss den Zoologischen Garten anrufen! Oh, warum, warum habe ich zwei unschuldige Kinder in die weite Welt hinausgeschleppt und sie inmitten von Tigern und Eisbären allein gelassen ... wie konnte ich nur?!"

Nicklas versuchte, sie zu trösten.

„Mich hast du ja noch nicht verloren, Tante Tinne", sagte er. „Es ist doch bloß Anneli, die weg ist!"

„Bloß Anneli!", rief Tante Tinne aus. „Wie kannst du so herzlos über deine Schwester reden, die klein und hilflos zwischen Löwen und Panthern umherirrt ...!

„Die ist nicht klein!", sagte Nicklas. „Die ist schon elf! Und die schafft es nie, durch die Gitterstäbe zu den Panthern reinzuirren! Dazu ist sie viel zu dick!"

„Aber was ist, wenn sie nicht zum Hotel zurückfindet! Vielleicht hat sie alles missverstanden, was aus den krachenden Lautsprechern kam. Vielleicht sucht sie uns in ganz Kopenhagen. Ich muss die Polizei anrufen! Ich muss den Zoologischen Garten anrufen! Ich muss den Rettungsdienst anrufen!"

Nicklas ließ Tante Tinnes Hand los, lief eine Weile im Zimmer hin und her und versuchte dabei, einen verstohlenen Blick aus dem Fenster zu werfen, ohne dass Tante Tinne es merkte. Wie weit konnte Anneli sein?

„Warte doch noch ein bisschen, Tante Tinne. Ich bin sicher, dass sie jede Minute hier sein wird. Sie hat eine Zwei in Geografie und Dänemark haben sie in der Schule schon längst durchgenommen. Sie findet garantiert hierher!"

Tante Tinne sah Nicklas an, als wäre er ein kleiner Strohhalm. Doch dann erlosch der hoffnungsvolle Funke in ihren Augen und sie war so unruhig wie zuvor.

„Was werden die Eltern sagen? Was werden sie nur sagen?"

„Tja, das ist was anderes! Das frage ich mich auch", gestand Nicklas. Sie sahen einander an.

Da hörten sie draußen im Korridor hastige Schritte. Nicklas wagte es nicht, sich umzudrehen, aber Tante Tinne stieß einen Freudenschrei aus. Sie hatte Annelis Schritte erkannt. Die Tür wurde aufgerissen und da stand tatsächlich Anneli.

„Nicklas, komm kurz mal raus!", sagte sie.

Tante Tinne streckte die Arme aus.

„Anneli!", rief sie. „Anneli! Wo bist du gewesen? Geliebtes Kind, wir haben uns solche Sorgen gemacht!"

„O je! Ich komme gleich", sagte Anneli. „Muss bloß schnell noch mal raus!"

Doch da wurde Tante Tinne böse:

„Noch mal raus! Bist du vollkommen von Sinnen!? Nachdem wir dich gerade erst wiedergefunden haben!"

„Doch, unbedingt! Muss Nicklas schnell was sagen!"

Sie lief zu Nicklas rüber und flüsterte:

„Er ist unglaublich süß. Braun mit weißen Flecken, wie eine Kuh, und ich hab ihn unten in die Portiersloge gestellt."

Dann wollte sie wieder davonrennen. Aber Tante Tinne baute sich vor ihr auf und versperrte ihr den Weg.

„Jetzt muss ich aber ein ernstes Wörtchen mit dir reden! Man läuft nicht einfach im Zoologischen Garten davon und lässt seine Tante vor Angst sterben und weigert sich dann, mit ihr zu sprechen! Und was soll dieses Geflüster über Kühe! Glaubst du, ich wüsste nicht über die Tiere im Zoo Bescheid, nachdem ich tagelang dort herumgerannt bin? Du brauchst mir nichts zu verschweigen! Ich weiß alles!"

Anneli starrte zuerst Tante Tinne mit weit aufgerissenen Augen an und dann Nicklas. Langsam formte sie die Lippen zu der Frage: „Hast du es ihr erzählt?"

Nicklas verstand sofort, was sie sagen wollte, und rief:

„Nee nee, nee nee, pst, pst!"

Anneli stieß einen Seufzer der Erleichterung aus, ging zu Tante Tinne und umarmte sie.

„Mein armes Tantchen, hast du dir solche Sorgen gemacht?", sagte sie. „Aber es war wirklich alles halb so wild. Ich bin schnurstracks hierhergegangen, so schnell wie möglich. Natürlich musste ich mindestens hundert Personen fragen, bevor ich den richtigen Weg fand. Und alle Leute sprechen ja bloß Dänisch, da versteht man fast kein Wort. Doch irgendwie hat's trotzdem geklappt!"

Tante Tinne umarmte Anneli ebenfalls.

„Hast du den ganzen Weg hierher zu Fuß zurückgelegt, armes Ding?", seufzte sie.

Anneli nickte.

Tante Tinne glaubte, das sei die Antwort auf ihre Frage, aber in Wirklichkeit galt das Nicken Nicklas, der in der Tür stand, bereit, nach unten zu flitzen und den Rest zu erledigen.

„Komm mit mir auf den Balkon, Tante Tinne. Ich zeige dir genau, welchen Weg ich genommen hab", war das Letzte, was Nicklas hörte, als er die Tür hinter sich schloss und durch den Korridor davonstürzte.

Er kurvte um den Treppenabsatz und schoss wie ein geölter Blitz die Treppe hinunter.

Unten in der Eingangshalle des Hotels hielt er an. Kein Mensch war zu sehen, nicht einmal der lange, hagere Portier, der sonst hinter dem Empfangstresen saß und jeden musterte. Der Augenblick eignete sich hervorragend dafür, ein ziemlich kleines Pony davonzuschmuggeln. Aber wo mochte es nur stecken?

Nicklas drehte sich auf dem roten Teppich im Kreis und sah dabei in den vielen Spiegeln ringsum nur sich selbst. Wo war nur diese Portiersloge? Da hörte er ein Schniefen hinter dem Empfangstresen. Nicklas schob sich bäuchlings quer über den Tresen und sah auf der anderen Seite hinunter. Und dort stand es! Das hübscheste Pony der Welt, mit einem Schwanz, der so lang war, dass er auf dem Boden schleifte. Nicklas krabbelte in die Portiersloge hinunter und fuhr dem Pony mit der Hand übers Fell. Jetzt hatte *er* es auch gestreichelt! Das Pony beschnupperte seine Hand und nickte. Es war tatsächlich nicht größer als ein Bernhardinerhund. Aber nun galt es, das Pferdchen die Treppe hinaufzubefördern!

Nicklas packte Jasper an der Mähne und schnalzte ermunternd. Jasper ließ sich bereitwillig zur Treppe führen, dort blieb er jedoch stehen und schaute Nicklas fragend an.

„Hör mal, du wirst doch eine normale Treppe raufgehen können, oder?", sagte Nicklas.

Jasper zögerte noch etwas. Er schien zu überlegen, was es damit auf sich hatte, doch dann schnaubte er und begann, nach oben zu traben.

Niemand kam ihnen auf der Treppe entgegen und auf dem Treppenabsatz stand auch niemand. Doch hier oben erstreckte sich ein langer Korridor vor ihnen, zu beiden Seiten von Türen gesäumt. Wie sollten sie da unbemerkt durchkommen? Nicklas biss die Zähne zusammen.

„Typisch", murmelte er. „In jedem Biologiebuch steht seitauf, seitab, dass Pferde Passgänger, Einhufer und Pflanzenfresser sind, aber wie man ein einziges kleines Pony ungesehen in ein Hotelzimmer verfrachtet, darüber verraten sie einem nicht die Bohne ..."

Ganz in der Nähe stand eine Tür offen und Nicklas konnte ein Zimmermädchen drinnen singen hören. Er schlich sich leise an die Tür heran, Jasper immer im Schlepptau. Eigentlich wollte er die Tür nur sachte zuschieben, doch da erblickte er in dem Zimmer einen Stapel mit Wolldecken. Das Zimmermädchen hatte sie auf einen Stuhl neben der Tür gelegt, während sie die Bettwäsche wechselte. Behutsam streckte Nicklas eine Hand ins Zimmer und schnappte sich eine Decke. Die würde irgendwann bestimmt gut zupass kommen.

Kaum hatte er das getan, als er auch schon aus der anderen Richtung Schritte durch den Korridor näher kommen hörte. Da gab es nur eins: Blitzschnell die Decke auseinanderfalten, das Pony damit zudecken und sie ihm über den Kopf ziehen, sodass nicht einmal die Schnauze sichtbar war. Es war der Portier, der auf ihn zukam.

Er blieb vor Nicklas stehen und musterte ihn mit strenger Miene.

„Wohin bist du denn unterwegs?", fragte er.

Nicklas reckte das Kinn vor und antwortete:

„Ich will ins Zimmer hundertneunzehn. Da wohnen wir."

„Und was soll das hier sein?"

Der Portier zeigte auf den Deckenberg, unter dem Jasper steckte.

Nicklas leckte sich die Lippen.

„Das hier ... ach so, ja, das hier ... also, das ist Jappi", sagte er. „Mein Bruder. Er ... wir ... spielen Pferd. Hoppla, Jappi. Komm her! Na, komm schon!"

Der Portier sah den ungehorsamen Deckenberg an, der keinerlei Anstalten machten, Nicklas zu folgen.

„Er scheint noch nicht richtig dressiert worden zu sein!" Der Portier lachte. „So, jetzt aber ab mit euch in euer Zimmer! Hier im Korridor ist kein Spielplatz. Und die Hoteldecken sind nicht zum Spielen gedacht."

Nicklas wollte auf der Stelle gehorchen, Jasper allerdings nicht. Er blieb unter seiner Decke stehen und fragte sich wohl, wozu die gut sein sollte.

„Wir gehen sofort weiter, komm, Jappi! Komm mit, sage ich!"

Nicklas war am Verzweifeln.

Wenn Jasper jetzt bloß nicht loswieherte! Doch genau das tat er. Er stieß ein kleines anhaltendes Wiehern aus, das wie ein freundliches Gelächter klang.

„Hört, hört!", sagte der Portier. „Das war kein schlechtes Pferdewiehern! Dein Bruder könnte sich glatt beim Theater bewerben. Hier, ich hab einen Zuckerwürfel in der Tasche, den kann er haben."

Nicklas beeilte sich, dem Portier den Zucker aus der Hand zu nehmen und ihn Jasper unter der Decke zuzustecken, damit der Portier das nicht selbst machte.

„Bitte sehr, kleines Pferdchen", sagte der Portier. „Und jetzt trab schön brav in dein Zimmer!"

Nicklas fühlte, wie Jasper den Zuckerwürfel in seiner Hand erschnupperte und ihn sich schnappte. Der Portier wollte schon anfangen, die Decke zu tätscheln, als Jasper im richtigen Moment aufschnaubte und durch den Flur davonhoppelte, mit Nicklas auf den Fersen.

„Na also, jetzt haben sie es plötzlich eilig! Ich sag's ja! Unglaublich, was Kinder sich alles ausdenken können", murmelte der Portier vor sich hin, während er zu seiner Loge zurückkehrte.

Inzwischen waren Nicklas und Jasper glücklich um die Ecke verschwunden. Nicklas führte das Pony vorsichtig an Tante Tinnes Tür vorbei und in sein eigenes Zimmer hinein. Dort schloss er die Tür hinter sich und drehte den Schlüssel zwei Mal im Schloss herum.

„Sei jetzt schön ruhig, Jappi, dann mach ich dir im Wandschrank einen Stall", sagte Nicklas und legte die Decke zusammen.

Warum Anneli nicht zum Runden Turm mitkam

„Wir füllen eine Schuhschachtel mit Heu und Möhren, damit er was zum Futtern hat, falls wir ihn allein lassen müssen", sagte Anneli am nächsten Morgen, als sie die Schranktür geöffnet und Jasper guten Morgen gesagt hatte.

Sie hatten ihre Kleider aus dem Wandschrank geholt, damit das Pferdchen nicht in der Dunkelheit davor erschrak, und ihm für die Nacht den Plastikpapierkorb als Wassertrog hingestellt. Jasper schaute sie munter und gut ausgeschlafen unter seiner Mähne hervor an.

„Wie machen wir jetzt hier sauber?", fragte Nicklas und spähte in den Wandschrank hinein.

Der Schrank sah aus, wie ein Stall eben aussieht, wenn ein Pferd eine Nacht darin verbracht hat: der Boden voller verstreutem Heu und Pferdeäpfel.

Anneli runzelte die Stirn. „Wir müssen einen Besen mit Kehrschaufel auftreiben und das Zeug ins Klo werfen", sagte sie. „Bleib du so lange hier und unterhalt dich mit Jappi."

Sie trat in den Korridor hinaus und sah sich nach einem Besen um. Die Zimmermädchen waren schon bei der Arbeit, aber die Besen benützten sie selbst.

„Entschuldigung, dürfte ich vielleicht die Kehrschaufel und den Besen kurz mal ausleihen?", fragte Anneli.

„Du brauchst dein Zimmer doch nicht zu fegen, das tu ich nachher", sagte das Zimmermädchen freundlich.

„Aber ich möchte es lieber selbst machen, Fegen ist nämlich mein Hobby", versuchte Anneli sie zu überzeugen.

„Von mir aus, bitte sehr, aber bring mir die Sachen bald zurück. Ich hab noch viel zu tun."

Anneli lief schnell mit dem Besen und der Kehrschaufel zurück. Sie fegte den Schrank ordentlich aus, leerte den Papierkorb und stellte ihn umgedreht auf die Schaufel, damit niemand sehen konnte, was für eine Art Abfall sie da hinaustrug. Das Zimmermädchen hielt sich noch im selben Zimmer auf, als Anneli mit gesenktem Kopf schnell an ihr vorbei in die Toilette schlüpfte. Sie spülte die Schaufel ab und rieb sie mit einer Handvoll Papierhandtücher trocken, bevor sie sie zurückgab.

„Ich hab gründlich sauber gemacht, jetzt braucht niemand mehr bei uns aufzuräumen", teilte Anneli dem Zimmermädchen mit.

Das wirkte nicht besonders dankbar und zeigte mit keiner Miene, ob es nun vorhatte, trotzdem sauber zu machen oder nicht, aber Anneli hoffte das Beste. Sie lief schnell zu Nicklas zurück.

„Mach die Schranktür und alle Fenster weit auf, zum Lüften! Hier drin darf es auf keinen Fall nach Pferd riechen", flüsterte sie.

Nicklas riss die Fenster weit auf und ließ die Sonne herein. Anneli führte Jasper ans Fenster, damit er frische Luft bekam. Jasper schnaubte begeistert, legte das Kinn auf die Fensterbank und atmete die Benzindämpfe der Autos ein.

„Schau mal, Jappi, dort hinten liegt der Lebensmittelladen, an dem wir gestern vorbeigegangen sind", sagte ihm Anneli ins rechte Ohr und deutete hinunter.

„Und dort drüben liegt der Bahnhof, wo wir morgen mit dem Zug abfahren werden", erzählte Nicklas Jaspers linkem Ohr.

Jasper nickte, als hätte er es begriffen.

Anneli warf zufällig einen Blick über die Straße und entdeckte eine Dame, die mit verwunderter Miene am gegenüberliegenden Fenster stand.

„Vorsicht, da drüben steht eine Frau und guckt Jappi an", flüsterte sie.

Nicklas zog Jaspers Kopf an der Mähne herein und starrte grimmig zu der Dame rüber.

„Ich glotze sie so lange an, bis sie glaubt, sie hätte bloß einen Hund gesehen", teilte er mit.

Aber Anneli begann, sich Sorgen zu machen.

„Ich glaube, wir können es nicht riskieren, ihn allein zu lassen. Stell dir vor, es kommt jemand, wenn wir nicht im Zimmer sind. Am besten, ich bleibe heute bei ihm."

Sie schob Jasper rückwärts in den Wandschrank zurück und kraulte ihm die Stirn. Da klopfte es an der Tür. Anneli schaffte es gerade noch, Jasper eine Möhre zuzustecken und die Schranktür zu schließen, bevor Nicklas die Tür einen Spaltbreit öffnete. Tante Tinne stand draußen.

„Darf ich denn nicht reinkommen?"

„Doch, natürlich, bitte komm herein, liebe Tante. Ich wollte bloß vorher sehen, wer es ist. Schließlich kann man ja nicht jeden einfach reinlassen", sagte Nicklas und schob die Tür ein bisschen weiter auf.

Tante Tinne war ausgehbereit, mit Mantel und Handschuhen.

„Ich wollte euch heute zum Rundetaarn, dem Runden Turm, mitnehmen", sagte sie. „Das ist ein hochinteressanter Turm, er wurde vor dreihundert Jahren erbaut. Oben auf dem Dach steht ein Fernrohr, mit dem kann man die Sterne beobachten."

„Eigentlich kann man die Sterne von überall aus sehen, Hauptsache, es ist ringsum dunkel genug", sagte Anneli. „Wenn man zum Beispiel unten in einem Brunnen hockt, wo kein Licht reindringt, kann man am helllichten Tag die Sterne sehen!"

„Davon habe ich noch nie etwas gehört", sagte Tante Tinne höflich. „Aber vielleicht stimmt es ja tatsächlich."

„Also, ich würde am liebsten hier bleiben und ausprobieren, ob ich nicht vom Hotelzimmer aus Sterne sehen kann", sagte Anneli. „Ich könnte die Vorhänge zuziehen, damit es ganz dunkel wird, und dann hinten in der Ecke sitzen und durch einen Spalt rauslinsen."

Nicklas war stumm vor Bewunderung. Er hätte es nie für möglich gehalten, dass Anneli eine so gute Ausrede zum Dableiben einfallen würde.

„Das ist ja der helle Wahnsinn!", rief Tante Tinne aus. „Hier im Zimmer kann doch kein Mensch Sterne sehen. Und ganz allein im Dunkeln zu kauern ist doch alles andere als lustig! Selbstverständlich kommst du mit."

„Aber ich bin so müde", sagte Anneli. „Meine Beine fühlen sich an, als würden sie abbrechen, und ich kann kaum noch stehen."

Sie ließ sich rasch aufs Bett sinken. Tante Tinne sah sie forschend an.

„Du bist gestern natürlich viel zu weit gelaufen", sagte sie nachdenklich. „Warum sagst du nicht gleich, was los ist? Du bist einfach erschöpft. Ist doch klar, dass ich dich nicht durch die Gegend schleppen will, wenn es dir zu viel ist. Nein, nein, schlüpf lieber ins Bett und mach es dir gemütlich. Nicklas und ich können den Runden Turm auch gut alleine besichtigen."

„Also, komm Tante Tinne, gehen wir lieber gleich!", sagte Nicklas sofort. „Wenn wir noch lang hier rumstehen, verschimmeln wir bloß!"

Plötzlich drang aus dem Wandschrank dumpfes Klopfen. Jasper hatte soeben das Bein gewechselt und war dabei mit dem Huf an die Tür gestoßen. Tante Tinne fuhr zusammen.

„Was um alles in der Welt ist das denn für ein Geklopfe?"

„Bestimmt bloß das Zimmermädchen. Die rummst immer mit dem Staubsauger an die Wand", erklärte Anneli erschrocken. „Das macht sie schon den ganzen Morgen!"

„Zu schade, dass du nicht mitkommen kannst", sagte Tante Tinne. „Ich hatte vorgehabt, anschließend mit euch im Kongens Have, im Königlichen Park, essen zu gehen, der liegt so geschickt in der Nähe."

„Ich kann hier im Bett essen", sagte Anneli. „Sag doch einfach, sie sollen mir das Essen aufs Zimmer bringen, dann muss ich nicht aufstehen. Es macht mir wirklich nichts aus, dass ihr ohne mich im Kongens Have essen geht."

„Du bist ein tapferes Mädchen, Anneli", sagte Tante Tinne. „Na gut, dann machen wir das eben so. Bis nachher! Lass es dir gut gehen!"

Nicklas hielt Tante Tinne die Tür auf, damit sie möglichst schnell aus dem Zimmer kamen, und Tante Tinne winkte Anneli noch einmal zu. Unten im Empfang blieb sie bei der Portiersloge stehen und bestellte ein Essen für Anneli.

„Ach, und übrigens möchte ich die Kinder bitten, nicht so laut zu stampfen und zu hüpfen, wenn sie im Zimmer sind", sagte der Portier. „Die Gäste im darunter liegenden Zimmer haben sich schon beschwert. Es wäre besser, sie würden ihre Pferdespiele draußen im Freien machen."

Tante Tinne sah ihn verblüfft an.

„Der Lärm kommt nicht von den Kindern", erklärte sie dann. „Sondern von dem Zimmermädchen, das draußen im Korridor mit dem Staubsauger herumrummst. Das habe ich vorhin selbst gehört."

„Aha, na, dann entschuldigen Sie bitte", sagte der Portier. „Ich muss den Wünschen der Gäste natürlich nachgehen, aber in diesem Fall haben sie sich ja vielleicht geirrt."

Nicklas sagte gar nichts. Er wollte nichts wie raus und dachte voller Mitgefühl an Anneli, die jetzt ganz allein mit all den Zimmermädchen und Portiers fertig werden musste.

Tante Tinne holte ihren Stadtplan heraus und suchte nach dem Rundetaarn. Der Weg dorthin war nicht weit. Schon bald entdeckte Nicklas den Turm, der über die Hausdächer ragte. Sie fanden den Eingang und Tante Tinne bezahlte den Eintritt.

Von unten sah der Turm nicht besonders hoch aus, aber es dauerte doch einige Zeit, nach oben zu kommen.

„Warum gibt es hier keine Treppen? Bloß eine steile Spirale ganz nach oben!"

„Ja, wirklich seltsam", sagte Tante Tinne.

Sie holte ein kleines Heft über den Rundetaarn hervor, das sie am Eingang besorgt hatte, und las darin.

„Hier könnte man ja mit dem Rennauto rauffahren und mit Rollschuhen wieder runter", sagte Nicklas, während er die steile gepflasterte Spirale hinauftrabte.

„In dem kleinen Heft hier steht die Erklärung", sagte Tante Tinne. „Der Zar Peter der Große ritt auf diesem Weg in den Turm hinauf, wenn er die Sterne durchs Fernrohr betrachten wollte, und seine Frau kam im sechsspännigen Wagen hinterher. Wahrscheinlich fanden sie das bequemer, der Fahrstuhl war damals ja noch nicht erfunden."

„Ist der ganze Turm etwa für Pferde gebaut?", rief Nicklas aus. „Das hätte ich wissen sollen!"

„Was hättest du dann gemacht?", fragte Tante Tinne.

„Ein Pferd mitgebracht, das ich kenne", sagte Nicklas.

Tante Tinne lachte. Nicklas wollte ihr schon sagen, das sei überhaupt nicht zum Lachen, konnte es sich aber gerade noch rechtzeitig verkneifen.

Langsam stapften sie den steilen Aufstieg hinauf. Auf halbem Weg gab es eine kleine Kammer mit altmodischen Fernrohren und vielen seltsamen Dingen aus der Zeit von Tycho Brahe, dem berühmten Astronomen. Nicklas besah sich alles und dann stapften sie weiter.

Oben angekommen, durfte Nicklas eine Münze in ein Fernrohr stecken und es hin und her drehen, um sich das anzuschauen, was ihm in ganz Kopenhagen am wichtigsten war. Also versuchte er das Hotelzimmerfenster zu finden, hinter dem Anneli sich befand, in der Hoffung, sehen zu können, was sie mit Jasper anstellte. Doch das gelang ihm nicht.

Auf dem Rückweg rannte er mit Volldampf nach unten. Dabei hielt er sich an die äußere Wand, um die Kurve ordentlich auszunützen und das Tempo zu steigern.

Tante Tinne dagegen folgte der Innenwand, wo sich die Spirale um sich selbst krümmte, und legte daher eine viel kürzere Strecke zurück. So konnte sie in aller Ruhe nach unten spazieren, während Nicklas rannte wie verrückt und trotzdem nicht früher als sie unten ankam.

„Erster am Geländer!", schrie Nicklas, als Tante Tinne am Ausgang stehen blieb, um Ansichtskarten zu kaufen.

„Warte einen Moment, wir schicken deinen Eltern noch eine Karte", sagte Tante Tinne und schrieb:

Ihr Lieben,

Nicklas und ich haben soeben den Rundetaarn erklommen! Während ich die Spirale nach oben wankte, dachte ich die ganze Zeit an das Häkelmuster für meinen letzten Topflappen, damit mir nicht schwindlig wurde. Nicklas wäre am liebsten auf einem Pferd hinaufgeritten, hatte aber dummerweise keins dabei! Ich wüsste zu gern, wo er das hätte hernehmen wollen. Jetzt müssen wir uns schnell auf den Weg ins Hotel machen, wo Anneli sich gemütlich im Bett ausruht, um heute Abend ins Tivoli gehen zu können!

Grüße von uns allen, Tinne

Das war, was Tante Tinne am Freitag glaubte. Sie steckte die Karte in das Maul eines roten Briefkastens und rief vergnügt:

„So, und jetzt gehen wir ins Kongens Have und schauen das Standbild des großen Dichters Hans Christian Andersen an. Du kennst doch das Märchen vom Feuerzeug, das er geschrieben hat? Darin kommt ein riesiger Hund vor, der hatte Augen so groß wie der Rundetaarn!"

„Steht Hans Christian Andersen draußen oder drinnen?", fragte Nicklas.

„Draußen! Kongens Have, das bedeutet ja ‚Garten des Königs'. Es ist ein sehr hübscher Park."

„Wächst dann auch Gras rings um Hans Christian Andersen?"

„Ich glaube schon", sagte Tante Tinne. „Hast du so großen Hunger, dass du Gras essen willst?"

„Nein, ich nicht", sagte Nicklas. „Aber ich möchte Anneli ein bisschen davon mitbringen. Sie liebt frisches grünes Gras über alles. Doch, ehrlich, ganz bestimmt!"

Tivoli oder kein Tivoli?

„Hab schon geglaubt, ihr kommt nie mehr zurück", sagte
Anneli, als Nicklas aufschnaufend auf die Bettkante plumpste
und sich die Tür endlich hinter Tante Tinne schloss. „Hier ist es
drunter und drüber gegangen! Zuerst kam das Zimmermädchen und wollte sauber machen. Ich musste ihr sagen, dass ich
Heuschnupfen kriege, wenn ein Besen in meine Nähe kommt,
sonst wäre sie nie gegangen! Dann kam ein Herr aus dem Zimmer unter uns und drohte damit, mich bei der Hotelleitung an-

zuzeigen, wenn ich nicht mit dem Herumgehopse aufhöre. Und dann kam ein Kellner und brachte das Mittagessen. Und genau da ist es Jappi eingefallen zu wiehern!"

„Was hast du dann gesagt?"

„Dass es der Mann aus dem unteren Zimmer ist, der lacht. Obwohl das eine einzige Lüge war, weil der bestimmt noch nie im Leben gelacht hat!", sagte Anneli verärgert.

„Du Ärmste!", sagte Nicklas. „Und wir reisen erst morgen Abend ab! Stell dir vor, wenn Tante Tinne uns heute Abend wieder irgendwo hinschleppt. Das gibt eine Katastrophe!"

„Wir dürfen Jappi unter keinen Umständen auch nur eine Sekunde allein lassen", sagte Anneli.

Tante Tinne war in ihr Zimmer gegangen, um sich für das Abendessen umzuziehen. Sie wollte ihr pfauenblaues Kleid mit der Goldbrosche anziehen, weil es der letzte Tag war und alles besonders festlich werden sollte. Sie hatte Nicklas gebeten, sich die Haare zu kämmen, und Anneli, ebenfalls ihr schönstes Kleid anzuziehen.

„Es bleibt uns nichts anderes übrig, als kurz in den Speisesaal runterzugehen, da hilft alles nichts. Aber wir müssen abwechselnd oben im Zimmer nach ihm schauen", bestimmte Anneli. „Ich hab ihm um den einen Vorderhuf meine Mütze gewickelt und um den anderen deinen Waschlappen. Für den linken Hinterhuf hab ich meinen eigenen Waschlappen genommen. Echt doof, dass du dem Elefanten deine Mütze gegeben hast! Darum hab ich nicht gewusst, womit ich den rechten Hinterhuf umwickeln sollte!"

„Und was hast du dann genommen?"

„Deinen Schlafanzug, und der taugt nichts, weil die Knöpfe gegen den Boden scharren, aber da kann man nichts machen."

„Okay", sagte Nicklas.

Anneli legte sich bäuchlings auf den Boden und wühlte unterm Bett nach ihrem Kleid. Sie hatten alle Klamotten dort verstaut, damit Tante Tinne sich nicht darüber wunderte, dass die Kleider nicht im Schrank hingen. Annelis bestes Kleid sah ziemlich zerknittert aus.

„Beeil dich, sonst kommt sie womöglich noch mal ins Zimmer", sagte Anneli. „Kurz bevor wir gehen, geben wir Jappi sein Futter, dann ist er mit Fressen beschäftigt, während er allein ist."

Nicklas fuhr sich schnell mit dem Kamm durch die Haare und Anneli schlüpfte in Windeseile in ihr Kleid. Als sie in den Korridor hinaustraten, kam Tante Tinne gerade aus ihrem Zimmer.

„Ich will nur noch schnell eine Zeitung kaufen und nachschauen, wann die abendlichen Vergnügungen anfangen", sagte sie geheimnisvoll, während sie die Treppe hinuntergingen.

Nicklas und Anneli erschauerten.

In der Portiersloge gab es Zeitungen und Tante Tinne kaufte die *Berlingske Tidende*.

Gemeinsam zogen sie dann in den Speisesaal ein.

„Wir nehmen das Beste, was die Speisekarte zu bieten hat", sagte Tante Tinne fröhlich, als der Kellner kam. Nicklas leckte sich die Lippen, um ihr eine Freude zu machen.

„Brathähnchen und als Nachtisch Eis mit warmer Schokoladensoße?", schlug der Kellner vor.

„Ja, das ist genau das Richtige", sagte Tante Tinne und nahm die Zeitung in die Hand.

„Eigentlich mag ich Würstchen mit Pommes lieber", sagte Nicklas. „Aber ich esse, was auf den Tisch kommt. Jedenfalls, wenn es Eis mit Schokoladensoße ist!"

Anneli sagte gar nichts. Sie saß nur da und starrte ein Bild auf der Rückseite der Zeitung an, die Tante Tinne hielt. Das Bild war zwar verschwommen, aber dennoch war Anneli selbst deutlich darauf zu erkennen, mit Jasper an ihrer Seite. „Die glückliche Gewinnerin des Zwergponys Jasper aus dem Zoologischen Garten, Fräulein Annelise Nielsen", stand da. Oje, wenn Tante Tinne die Zeitung jetzt umblätterte!

Tante Tinne äugte zuerst die Titelseite durch.

„Ob die Veranstaltungen wohl am Anfang oder am Ende der Zeitung stehen?", überlegte sie.

„Bestimmt am Anfang! Garantiert!", sagte Anneli.

„Nein, offenbar nicht", sagte Tante Tinne.

Sie blätterte weiter. Anneli reckte den Hals, um über den Zeitungsrand zu schauen und festzustellen, wie weit Tante Tinne gekommen war. Bis zur letzten Seite musste sie nur noch zwei, drei Mal umblättern! Tante Tinne hielt die Zeitung vor sich hin und starrte angestrengt hinein.

„Was steht da?", wollte Nicklas wissen.

„Ich suche etwas und kann es einfach nicht finden", erklärte Tante Tinne. „Eigenartig!"

Anneli behielt Nicklas fest im Auge, um ihn daran zu hindern, seinen Blick auf die Zeitung zu richten. Falls er das Foto erblickte, würde er vielleicht unwillkürlich irgendeine Bemerkung von sich geben. Nicklas starrte wütend zurück, ohne etwas zu kapieren. Anneli riskierte einen Blick rüber zu Tante Tinne. Da merkte sie, dass die Tante sie bekümmert über den Zeitungsrand hinweg musterte.

„Ich glaube, wir essen erst mal etwas und denken dann über alles Weitere nach. Sonst schmeckt uns das Essen nicht."

„Ja, genau das finde ich auch!", stimmte Anneli zu.

„Das Essen ist doch noch gar nicht da", sagte Nicklas. „Ich will so lange die Comics lesen."

„Nicklas!", sagte Anneli streng. „Bei Tisch wird nicht gelesen!"

„Wenn Tante Tinne lesen darf, dann darf ich das auch!", protestierte Nicklas empört.

Er verstand überhaupt nicht, warum Anneli ihn am Zeitungslesen hindern wollte.

„Lass ihn doch, heute am letzten Tag", sagte Tante Tinne nachgiebig.

Sie lehnte sich im Stuhl zurück und sah vor sich hin. Nicklas schlug die Zeitung auf.

Es ließ sich nicht verhindern. Das Bild auf der Rückseite kam Tante Tinne vor die Augen. Ihr Blick richtete sich direkt auf das Bild von Anneli und hätte an der Stelle, wo Annelis Gesicht sich befand, ein Loch hineingebrannt, wenn ihr Blick ein Brennstrahl gewesen wäre. Aber wie sollte man wissen, ob Tante Tinne tatsächlich das sah, worauf sie blickte, oder ob sie bloß so dasaß und vor sich hinstarrte, ohne etwas wahrzunehmen?

Anneli faltete unterm Tisch die Hände und dachte: Wenn ich meine Hände die ganze Zeit gefaltet lasse, dann merkt sie nichts! Sie klemmte ihre Finger so fest zusammen, dass es schmerzte. Plötzlich wurde Tante Tinnes Blick schärfer und zwischen ihren Augenbrauen entstand eine Falte. Ihre Augen bewegten sich hin und her, als würde sie lesen. Anneli hätte schwören können, dass Tante Tinne die Unterschrift unter dem Ponybild erblickt hatte. Aber sie hielt die Hände trotzdem weiterhin gefaltet. Da sagte Tante Tinne:

„Jetzt legst du die Zeitung sofort zusammen, Nicklas!"

Nicklas hob erstaunt den Kopf.

„Ich hab doch erst eine Sprechblase gelesen!", protestierte er.

„Das genügt!", sagte Tante Tinne. „In den Zeitungen steht ohnehin nichts Erfreuliches!"

Tante Tinne nahm die Zeitung und faltete sie erst der Länge nach zusammen und dann auch noch quer. Das Bild von Anneli wurde so nach innen gefaltet, dass es nicht mehr zu sehen war. Abschließend stopfte sich Tante Tinne die Zeitung sogar hinter den Rücken. Nicklas widersprach nicht, Dänisch lesen fiel ihm sowieso schwer. Aber Anneli atmete auf und lockerte vorsichtig ihren Griff. Was war bloß in Tante Tinne gefahren?

Während Anneli sich darüber den Kopf zerbrach, kam der Kellner und brachte das Essen. Das Brathähnchen duftete verlockend. Nicklas und Anneli bekamen je einen Schenkel. Anneli bemühte sich, ihren mit Messer und Gabel zu essen, Nicklas dagegen packte den Schenkel unbekümmert mit den Fingern, biss hinein und zerrte daran wie ein wildes Tier.

Typische Tischmanieren für Tarzan, Sohn der Affen, dachte Anneli.

Als der Nachtisch aufgetragen wurde, bestellte Tante Tinne noch zusätzliche Portionen Schokoladensoße zum Eis. Nachdem sich alle mit den viel geplagten Stoffservietten den Mund abgewischt hatten, holte Tante Tinne tief Luft und wandte sich an die Kinder:

„Eigentlich hatte ich vor, jetzt mit euch ins Tivoli zu gehen", begann sie. „Wie ihr wisst, gibt es dort Karussells und Achterbahnen. Aber von den Karussells wird mir ehrlich gesagt schwindelig und in der Achterbahn wird mir übel."

„Arme Tante Tinne, und dabei ist Achterbahn fahren das Schönste, was es gibt", sagte Nicklas beunruhigt.

Er wollte auf keinen Fall ins Tivoli gehen, sondern unbedingt im Hotel bleiben, bei Jasper, konnte aber unmöglich behaupten, Achterbahn fahren würde keinen Spaß machen. Das wäre der pure Wahnsinn gewesen.

„Na ja, im Tivoli gibt es natürlich eine Menge andere Sachen, die man sich anschauen könnte", fuhr Tante Tinne fort. „Kaspertheater, zum Beispiel."

„Da macht die Achterbahn aber mehr Spaß", sagte Nicklas standhaft, während er überlegte, wie er nach diesen Worten noch behaupten sollte, heute Abend auf keinen Fall Achterbahn fahren zu wollen.

„Im Tivoli kann man auch Zuckerwatte kaufen, aber davon

kriegt man bloß Zahnschmerzen", redete Tante Tinne weiter. „Besonders gut schmeckt dieses Zeug eigentlich auch nicht."

„Nein, aber Zuckerwatte essen ist lustig", sagte Anneli um der Wahrheit willen.

„Jetzt, wo wir gerade so viele gute Sachen gegessen haben!", sgte Tante Tinne vorwurfsvoll. „Wegen der Zuckerwatte bräuchten wir wirklich nicht dorthin! Das einzig Schöne im Tivoli ist wahrscheinlich der Flohzirkus, aber den habt ihr natürlich schon gesehen."

„Nein, haben wir nicht", sagte Nicklas. „Ich hab in meinem ganzen Leben noch keinen einzigen Floh gesehen."

„Da gibt's auch nicht viel zu sehen", sagte Tante Tinne. „Angeblich sind das nur ein paar winzige Tiere, die mikroskopisch kleine Wägelchen hinter sich her ziehen und auf einem Seil aus Nähfaden balancieren. So, und mehr fällt mir zum Tivoli nicht ein, versteh gar nicht, warum das so berühmt sein soll. Vielleicht habt ihr ohnehin gar keine Lust darauf?"

Nicklas und Anneli sahen einander an. Es wäre schrecklich unhöflich, Tante Tinne zu sagen, dass sie liebend gern darauf verzichteten, wo sie doch so lieb war und sie dorthin einladen wollte.

„Klar haben wir Lust …", sagte Nicklas gedehnt.

„Vielen Dank, Tante Tinne, das wäre wirklich schön …", sagte Anneli und verstummte dann.

Tante Tinne seufzte:

„Leider geht das heute nicht", sagte sie. „Das Tivoli ist nämlich geschlossen. Es öffnet erst am ersten Mai. Das habe ich soeben in der Zeitung entdeckt. Ich kann euch gar nicht sagen, wie leid es mir tut, euch so enttäuschen zu müssen!"

Mit völlig verzweifeltem Gesicht blickte Tante Tinne vom einen zum anderen.

Endlich begriffen Nicklas und Anneli, um was es ging.

„Ach, das macht doch gar nichts, Tante Tinne!", rief Anneli fröhlich aus. „Das ist überhaupt nicht schlimm!"

„Sei nicht traurig", sagte Nicklas. „Ich hab wirklich keine Lust aufs Tivoli, ehrlich nicht!"

„Da können wir ein andermal hingehen", sagte Anneli.

„Bin schon mindestens hundert Mal Achterbahn gefahren", sagte Nicklas. „Und die in Stockhom ist garantiert tausendmal besser!"

„Karussell, das ist doch was für Babys!"

„Und Kaspertheater auch!"

„Von Zuckerwatte wird man immer so klebrig!"

„Und wer braucht schon Flöhe?", sagte Nicklas.

„Ich möchte viel lieber früh ins Bett gehen", sagte Anneli. „Damit ich morgen, wenn wir abreisen, richtig munter bin!"

„Ich auch!", sagte Nicklas und klopfte Tante Tinne herzhaft auf den Rücken. „Echt gut, dass wir uns nicht schon wieder die Nacht um die Ohren schlagen müssen!"

Tante Tinne saß total verstummt da. Schließlich sagte sie:

„Ich finde es wirklich großartig, wie ihr damit umgeht. Ich hatte befürchtet, ihr würdet beide in Tränen ausbrechen, denn eigentlich hätte der Tivolibesuch der Höhepunkt der ganzen Kopenhagenreise sein sollen!"

„Das wäre er sowieso nicht geworden!", sagte Nicklas. „Ich weiß nämlich was viel Tolleres!"

„Was könnte das denn sein?"

„Das erzählen wir dir, wenn wir zu Hause sind", beeilte sich Anneli zu antworten.

Tante Tinne und der lachende Wandschrank

Den nächsten Tag begann Tante Tinne damit, eine letzte Ansichtskarte nach Stockholm zu schreiben. Sie schrieb:

Ihr Lieben,

gestern ist etwas Entsetzliches passiert – das Tivoli war geschlossen!
Unser Tivolibesuch ist ins Wasser gefallen! Und obendrein sah ich in der
Zeitung, dass eine gewisse Annelise Nielsen in der Zoolotterie das Pony

gewonnen hatte. Um ein Haar hätten die Kinder es gewonnen – das
Mädchen hatte fast denselben Namen und alles! –, aber es gelang mir zu
verhindern, dass sie etwas von ihrem Pech erfuhren. Die beiden lieben
Kleinen taten so, als hätten sie gar keine Lust auf den Tivolibesuch und
gingen brav ins Bett. Heute wollen wir nur noch ein paar Andenken
kaufen. Bestimmt kommen wir noch vor dieser Karte zu Hause an!

Eure Tinne

Das war, was Tante Tinne am Samstag glaubte.

Sie zog sich in aller Ruhe an, telefonierte dann mit dem Portier und bat ihn um die Hotelrechnung. Sie bat ihn auch, einen Gepäckträger zu bestellen, der ihr Gepäck rechtzeitig vor Abfahrt des Zuges abholen sollte. Dann rief sie Nicklas und Anneli an und berichtete von ihren Vorbereitungen.

„Am besten, ihr packt schon mal eure Sachen", sagte sie. „Dann können wir noch in aller Ruhe unsere Einkäufe machen."

„Geht in Ordnung", antwortete Nicklas. „Wir kommen zu dir rüber, wenn wir fertig sind. Warte auf uns!"

Dann legte er den Hörer auf und sagte:

„Jetzt müssen wir uns was einfallen lassen! Hast du irgendeine supergeniale Idee, wie wir Jappi verpacken können?"

Anneli starrte ihn an. Sie hatte sich vorgestellt, Jasper würde im Güterwagen mitfahren.

„Du spinnst ja!", sagte Niklas. „Hast du etwa Geld für eine Fahrkarte im Güterwagen?"

Anneli versuchte, sich etwas Besseres auszudenken. Vielleicht könnte man Jasper wieder unter einer Decke verstecken und ihn so zum Bahnhof lotsen?

„Du spinnst ja!", sagte Nicklas noch einmal. „Am Hoteleingang steht doch ein Türwächter. Glaubst du, der lässt uns mit den Hoteldecken einfach davonziehen?"

Damit hatte er natürlich recht. Auf sämtlichen Decken stand *Kong Frederik* drauf. Der Türwächter würde sofort sehen, wo die hingehörten. Aber vielleicht gab es irgendwo einen Notausgang, der nicht bewacht wurde? So müsste es doch einfacher sein, Jasper ungesehen hinauszuführen. Dann könnte er in der Nähe des Bahnhofs an einem Laternenpfahl angebunden stehen, bis es an der Zeit wäre, ihn in den Zug zu schmuggeln.

„Du spinnst ja", sagte Nicklas zum dritten Mal. „Wie soll das denn gehen? Ein Pferd passt durch keine Sperre, höchstens, wenn man es vorher zusammenfaltet!"

Nicklas ging Anneli allmählich auf die Nerven.

„Dann denk dir doch selbst was aus!", fauchte sie. „Du hast den ganzen Tag Zeit. Ich sag Tante Tinne, dass du alleine einkaufen willst, während ich mit ihr unterwegs bin. Der Zug fährt erst heute Abend ab. Und wenn hier einer spinnt, dann du!"

Nicklas sah sie einen Augenblick lang verblüfft an, fasste sich aber schnell.

„Geh ruhig", sagte er. „Ich werd das mit Jappi schon irgendwie deichseln!" Er öffnete das Fenster, um den Stallgeruch hinauszulassen, und ließ dabei die Schranktür für Jasper offen. Heute war Nicklas mit Saubermachen an der Reihe.

Anneli lief schnell zu Tante Tinne hinüber.

Tante Tinne stand gerade am Fenster und schaute in die Zeitung, die sie aber rasch zusammenfaltete und weglegte, als Anneli ins Zimmer trat.

„Wie viel Geld hast du noch übrig, um dir Andenken zu kaufen?", fragte sie.

Anneli holte ihren Geldbeutel heraus und sah nach. 25 dänische Öre lagen darin und außerdem das zweite Los aus dem Zoologischen Garten.

„Na, das ist ja herzlich wenig", sagte Tante Tinne. „Dumm von euch, euer Geld mit diesen Losen zu verplempern, das hab ich doch gleich gesagt! Aber pass auf, jetzt machen wir das so: Ich kaufe euch das Los ab, dann hat jeder von euch wieder eine Krone, und wenn das Los etwas gewinnt, darf ich den Gewinn behalten!"

„Das gewinnt bestimmt nichts", sagte Anneli. „Die Ziehung war schon, da hätte ich es auf jeden Fall gemerkt!"

„Mag sein", sagte Tante Tinne. „Aber das riskiere ich, weil ihr gestern so nett wart und mir nicht wegen des Tivolibesuchs die Ohren vollgejammert habt. Du brauchst mir bloß zu sagen, was du kaufen willst, dann bezahle ich es von dem Losgeld!"

Wie lieb von Tante Tinne. Anneli hakte sich bei ihr unter und tätschelte ihr im Gehen den Mantelärmel. Verstohlen schielte sie zu dem Türwächter des Hotels hinüber, der sich tatsächlich genau dort breitmachte, wo Jasper hätte hinaustraben sollen. Doch dann verschob sie alle Sorgen auf später. Der Zug würde schließlich erst heute Abend abfahren.

Tante Tinne ging mit ihr zu einem großen, schönen Laden, wo sie für sich selbst ein mitternachtsblaues Kleid kaufte, mit einem hellen Muster darauf, das an Polarlicht erinnerte, und für ihre beste Freundin einen Käsehobel. Anneli entdeckte ein kleines Storchennest aus Holz, das sie gern als Andenken gehabt hätte, und für Nicklas einen roten Soldaten mit Bärenfellmütze. Tante Tinne bezahlte für beides.

In einem Porzellanladen erstand Tante Tinne eine hellblaue Teekanne für sich selbst und für Annelis Eltern eine Vase. Währenddessen fand Anneli für ihren Papa einen Aschenbecher, auf dem die kleine Seejungfrau saß, und zwei kleine blaue Porzellanvögel für ihre Mama. Auch das bezahlte Tante Tinne.

Zum Schluss entdeckte Anneli in einem wundervollen Laden voller Süßigkeiten eine goldene Schachtel mit Katzenzungen, die sie unbedingt Tante Tinne schenken wollte. Und da sagte Tante Tinne, dass Annelis Geld auch dafür noch reiche.

Diese vielen Einkäufe hatten sehr lange gedauert, inzwischen war es höchste Zeit, wieder ins Hotel zurückzukehren. Anneli machte sich allmählich wieder Sorgen um Jasper. Ehrlich gesagt bezweifelte sie, dass Nicklas in der Zwischenzeit alle Probleme gelöst und aus dem Weg geräumt hatte.

Plötzlich hatte sie es so eilig, dass Tante Tinne kaum noch mit ihr Schritt halten konnte.

„Packt die Sachen jetzt schön vorsichtig ein, damit nichts zerbricht", sagte Tante Tinne, als sie sich vor ihren Hotelzimmern trennten.

Anneli nickte bloß. Ihr war, als würde sie Jasper im Wandschrank stampfen hören, obwohl er eigentlich schon längst über alle Berge hätte sein sollen.

„Und? Wie hast du dir das jetzt alles vorgestellt?", fragte Anneli, als sie Nicklas und Jasper immer noch im Zimmer vorfand.

Nicklas sah sie trotzig an.

„Jasper kann nicht durch den Notausgang raus, der ist nämlich eine Feuerleiter. Und Pferde können nicht klettern", sagte er. „Und heimlich die große Treppe runterschleichen, das geht auch nicht, weil Pferde keine Treppen runterlaufen können, nur rauf. Er weigert sich einfach. Wir müssen ihn in Tante Tinnes Koffer tun!"

Diesmal war es Anneli, die mit einem verächtlichen „Du spinnst ja!" konterte. „Ist doch klar wie Kloßbrühe, dass das nicht geht!"

„Und ob das geht!", widersprach Nicklas. „Ich hab's nämlich schon ausprobiert!"

Anneli lachte zornig. Zwar war Tante Tinnes Reisekoffer ein wahres Ungetüm – die Tante bestand darauf, dass ihre Kleider auch auf Reisen immer schön aufgehängt sein mussten, sie durften nicht das kleinste Fältchen aufweisen, und daher sah der Koffer aus wie ein kleiner Schrank –, aber trotzdem!

„Hast du Tante Tinne gefragt, ob du ihn mal eben kurz ausleihen darfst?", sagte sie spöttisch.

„Nö, aber ich hab inzwischen leere Kartons für ihre Kleider besorgt. Dann kommen die auch mit nach Stockholm", erklärte Nicklas ungerührt. Er kraulte Jasper unterm Kinn.

„Bleib brav hier stehen, Jappi, und mach keinen Lärm. Wir

gehen bloß zu Tante Tinne rüber, weil wir uns was angucken wollen!", sagte er und schloss die Tür zum Wandschrank.

Und genau im selben Moment trat Tante Tinne ins Zimmer.

„Ich muss mich doch vergewissern, dass ihr alles eingepackt habt", sagte sie. „Bald kommt der Gepäckträger, und bis dahin muss alles fertig sein."

Nicklas und Anneli waren so überrumpelt, dass ihnen keine Antwort einfiel. Wenn Tante Tinne nur eine Sekunde früher gekommen wäre, so einfach ohne anzuklopfen, dann hätte sie Jasper in voller Pracht erblickt.

„Wo habt ihr eure Koffer?", fragte Tante Tinne.

Anneli zog sie schnell unterm Bett hervor. Zum Glück hatte Nicklas es wenigstens geschafft, rechtzeitig zu packen. Es sah zwar aus, als hätte er alles einfach in die Koffer reingeschaufelt und wäre dann mit beiden Füßen darauf herumgehüpft, damit die Deckel zugingen, aber immerhin befanden sich alle Sachen in den Koffern.

„Das nennt ihr also packen", bemerkte Tante Tinne. „Ich verstehe wirklich nicht, warum ihr so kleine Koffer mitgenommen habt. Ein geräumiger Koffer würde doch nichts extra kosten und dann hättet ihr alles schön ordentlich unterbringen können. Na ja, das lässt sich jetzt nicht mehr ändern!"

„Nächstes Mal nehm ich lauter Riesenkoffer mit", sagte Nicklas bereitwillig. „Versprochen, Tante Tinne!"

Und genau da wieherte jemand drinnen im Wandschrank.

Zuerst schien Tante Tinne gar nicht erstaunt zu sein. Doch dann drehte sie sich langsam um.

„Was war das?", fragte sie.

Nicklas und Anneli brachten keine Antwort heraus.

„Allmächtiger! Wer lacht denn da so komisch im Schrank?"

Auch jetzt antworteten Nicklas und Anneli nicht. Sie hofften, Tante Tinne würde glauben, sie hätte sich getäuscht, wenn sie jetzt den Mund hielten. Aber Tante Tinne machte einen Schritt auf den Wandschrank zu. Da sammelte sich Nicklas zu einer wahren Kraftanstrengung.

„Das ist bloß der Portier", sagte er.

„Der Portier? Der Portier!!! Was um alles in der Welt hat der in eurem Schrank verloren!", rief Tante Tinne aus.

„Wahrscheinlich muss er da drinnen was erledigen", meinte Nicklas.

Tante Tinne schnaubte.

„Im Dunkeln? Was könnte das wohl sein? Das kann ich kaum glauben! Und dieses fürchterliche Lachen! Das klingt ja wie Pferdewiehern! Was fällt dem Kerl ein, sich einfach in den Schrank zu setzen und zu lachen!"

„Vielleicht sitzt er ja gar nicht, sondern steht", schlug Nicklas vor.

Tante Tinne sah ihn an, als hätte sie ihn noch nie gesehen. Sie schien den Vorschlag nicht als eine Verbesserung der Situation zu betrachten.

„Wenn es tatsächlich der Portier ist, muss er den Verstand verloren haben", entschied Tante Tinne. „Was ist das hier denn für ein Hotel! Er muss auf der Stelle herauskommen! Sagt ihm das!"

Sie versuchte, sich der Tür zu nähern, doch Anneli stellte sich ihr in den Weg.

„Bitte, Tante Tinne, das können wir nicht tun", wandte sie ein. „Stör ihn lieber nicht! Das ist ja nicht unser Schrank, der gehört doch dem Hotel!"

„Unsinn! Wir haben dieses Zimmer gemietet und damit auch den Schrank! Der Kerl braucht sich nicht einzubilden, dass ich mir sein albernes Wiehern gefallen lassen werde.Geh mir aus dem Weg!", rief Tante Tinne.

Nicklas stellte sich neben Anneli.

„Mach lieber nicht auf, Tante Tinne. Bestimmt zählt er bloß die Kleiderbügel im Schrank oder vielleicht will er auch nur in aller Ruhe darüber nachdenken, wie viele Zimmer heute frei sind ... damit er weiß, was er antworten soll, wenn die Leute anrufen und ihn fragen."

„Die rufen doch nicht den Schrank an!", sagte Tante Tinne wütend. „Hab noch nie einen derartigen Blödsinn gehört! Solche Dickköpfe wie euch hat die Welt noch nicht gesehen! Allmählich verstehe ich, wo euer Vater seine grauen Haare und die vielen Falten auf der Stirn herhat!"

„Aber Papa hat gesagt, dass man fremde Menschen nicht stören soll", beharrte Nicklas.

Er stand vor dem Wandschrank und hielt die Hände hinterm Rücken. Er musste auf jeden Fall versuchen, den Schlüssel herauszuziehen, bevor Tante Tinne sich daranmachte, die Tür zu öffnen. Anneli kam ihm zur Hilfe, indem sie Tante Tinne am Ärmel zog.

„Komm, wir kümmern uns einfach nicht um ihn", bat sie. „Wir tun so, als hätten wir nichts gehört, dann geht er bestimmt bald von alleine. Schau mal hier, Tante Tinne, vom Fenster aus kann man den Milchladen sehen, an dem ich gestern vorbeigegangen bin. Von hier aus sieht man ihn viel besser!"

Tante Tinne befreite sich. Sie wurde immer wütender.

„Ich höre immer nur Milchladen! Ich weiß nicht, wie lange du mir gestern mit diesem Milchladen in den Ohren gelegen hast. Was soll dieses Gerede über Milchläden! Bist du etwa ein Baby, Anneli?"

Resolut marschierte sie auf den Wandschrank zu und schob Nicklas beiseite, um zu öffnen. Doch da war der Schlüssel verschwunden. Tante Tinne trat einen Schritt zurück.

„Jetzt verstehe ich alles", sagte sie und sah die Kinder an. „Der Kerl ist betrunken und hat sich in den Wandschrank verzogen, um seinen Rausch auszuschlafen. Und den Schlüssel hat er mitgenommen."

Tante Tinne klopfte an die Tür.

„Hallo dort drinnen, kommen Sie gefälligst sofort heraus!"

Als sie das sagte, stieß Jasper wieder ein Wiehern aus.

„Lass ihn in Ruhe", sagten Nicklas und Anneli einstimmig in flehendem Tonfall. Tante Tinne betrachtete sie nachdenklich.

„Ihr seid zu klein, um das hier zu verstehen", sagte sie schließlich. „Ich werde mit dem Hoteldirektor sprechen. Geht so lange in mein Zimmer und bleibt dort." Sie trat schnell ans Telefon und nahm den Hörer ab, konnte dann aber nirgends eine Telefonliste mit der Nummer des Hoteldirektors finden.

„Schlamperei", sagte sie und schob die Kinder vor sich her aus dem Zimmer.

In ihrem eigenen Zimmer angekommen, sagte sie ermahnend:

„Geht auf keinen Fall wieder in euer Zimmer, während ich weg bin. Man kann nie wissen, was Betrunkene anstellen. Bin gleich wieder da!"

Damit hastete sie durch den Korridor davon.

Nicklas und Anneli standen einen Augenblick lang da wie gelähmt. Doch dann gaben sich beide gleichzeitig einen Ruck.

„Die dürfen unser eigenes inklusives Pony nicht anrühren!", sagte Nicklas.

„Wir retten Jappi erst mal hierher, dann sehen wir weiter", sagte Anneli und stürzte mit ihrem Bruder in ihr eigenes Zimmer zurück.

Jasper geriet außer sich vor Begeisterung, als er aus dem Wandschrank herausgelassen wurde, und vollführte im Korridor wahre Luftsprünge. In Tante Tinnes Zimmer schlug er vor lauter Freude hinten aus.

„Ach, mein süßes Jappilein", sagte Anneli. „Du bist mindestens so süß wie tausend Kätzchen, Eichhörnchen und Marzipantorten, alles gleichzeitig. Wir müssen es unbedingt schaffen, dich nach Hause mitzunehmen!"

„Na, dann hör lieber mit dem dussligen Gelaber auf", sagte Nicklas. „Tante Tinne ist gleich wieder da, die legt sich ganz schön in die Kurven, ist doch klar ..."

„Aber was sollen wir denn machen?", fragte Anneli hilflos.

„Ihn in Tante Tinnes Koffer tun, das hab ich doch schon gesagt!", flüsterte Nicklas. „Nichts wie raus mit ihren Kleidern und rein in den Wandschrank damit!"

Sie stürzten sich auf den Koffer und klappten ihn sperrangelweit auf. Tante Tinne hatte für nur eine Woche entsetzlich viele Kleider mitgebracht. Die wurden jetzt rigoros in den Wandschrank gestopft, auch der restliche Kleinkram verschwand hinter der Schranktür. Jetzt galt es nur noch, Jasper im Reisekoffer unterzubringen. Ein Glück, dass der Koffer so groß war!

„Mein armes kleines Pony", sagte Anneli, als sie Jasper in den aufgeklappten Koffer führte. „Schau mal, wie brav er reingeht!"

„Er ist genauso sehr mein Pony wie deins", sagte Nicklas. „Los, geh zur Seite, damit ich zumachen kann. Ich muss auch noch Löcher in den Koffer bohren, damit er überhaupt Luft kriegt!"

Nicklas nahm eine Schere vom Schreibtisch und bohrte damit entschlossen Löcher in die Kofferecken. Irgendwann würde er Tante Tinne von seinem Taschengeld einen neuen Koffer kaufen. Dafür fand sich bestimmt eine Lösung.

„Du hast doch hoffentlich im Schrank sauber gemacht?", fragte Anneli atemlos.

Sie glaubte, Schritte im Korridor näherkommen zu hören.

„Na klar, aber es riecht natürlich immer noch komisch", sagte Nicklas.

Da klopfte es.

Sie starrten beide auf die Tür, als wollten sie durch das Holz hindurchsehen, was sie draußen erwartete.

„Sie hatten einen Gepäckträger bestellt. Ein Koffer sollte abgeholt werden!", sagte der Gepäckträger, als Anneli aufmachte.

Anneli hätte fast in die Hände geklatscht.

„Ach, bitte kommen Sie doch herein! Alles ist schon fertig!", sagte sie. „Hier, das ist der Koffer."

Der Gepäckträger kam ins Zimmer und hob den Koffer probeweise an.

„Der hat ja ein ganz schönes Gewicht!", stellte er fest. „Was steckt da denn drin?"

„Also", sagte Nicklas. „Es gehört ins Tierreich und fängt mit P an, so viel kann ich verraten, aber für mehr ist jetzt keine Zeit. Wir haben es eilig, wir müssen rechtzeitig zum Bahnhof!"

Tante Tinne vibriert

„Begleite ihn zum Bahnhof, damit du weißt, wo er ihn abstellt",
flüsterte Anneli Nicklas zu. „Ich sage Tante Tinne, dass du
schon mal vorausgegangen bist!"

Nicklas sah sie erschrocken an. Das würde er alleine nie
schaffen! Aber Anneli gab ihm einen Schubs in den Rücken.

„Auf der Fahrkarte steht doch, mit welchem Zug wir fahren!
Der Gepäckträger findet den Weg natürlich. Wenn ihr im Zug
seid, musst du Jappi sofort rauslassen, sonst ist es Tierquälerei,
das ist dir hoffentlich klar!"

Nicklas rannte hinter dem Gepäckträger her, der bereits mit

dem Koffer auf seinem kleinen Rollwagen um die Ecke verschwunden war. Anneli seufzte vor Erleichterung und kehrte in ihr Zimmer zurück. Sie musste unbedingt sehen, wie es Tante Tinne erging.

Tante Tinne stand neben einem fein gekleideten dicken Herrn und dem großen Portier aus der Portiersloge vor dem offenen Wandschrank.

„Und ob er das getan hat!", sagte Tante Tinne in dem Moment, als Anneli hereinkam. „Ich habe doch selbst gehört, wie er hier drin saß und lachte! Es ist mir vollkommen egal, ob Sie tausend Zeugen dafür haben, dass Sie in der Portiersloge waren, in diesem Schrank war nämlich jemand drin, und damit basta! Unterbrechen Sie mich nicht, habe ich gesagt! Jetzt rede ich! Wie sollen die schwedisch-dänischen Beziehungen und die internordische Zusammenarbeit je funktionieren, wenn sich jeder Hotelportier einfach in irgendeinen Wandschrank setzen und unschuldige Kinder mit fürchterlichem Wiehern zu Tode erschrecken darf!"

„Entschuldigen Sie …", begann der Portier.

„Es muss sich um ein Missverständnis handeln", sagte der Hoteldirektor.

„Unterbrechen Sie mich nicht", sagte Tante Tinne wieder. „Ich möchte das hier geklärt haben, bevor ich zum Bahnhof fahre. Der Gepäckträger kann jeden Moment kommen, um mein Gepäck zu holen!"

„Er ist schon gekommen", sagte Anneli.

„Ein Glück", sagte der Direktor.

Tante Tinne wirbelte herum, riss Nicklas' und Annelis Koffer an sich und warf dem Hoteldirektor einen strengen Blick zu.

„Bleiben Sie so lange hier!", befahl sie.

Anneli hätte nie geglaubt, dass ihre kleine, feine Tante Tinne so furchteinflößend sein konnte. Jetzt stapfte sie mit wütenden Schritten in ihr eigenes Zimmer und sah sich auf der Suche nach dem Gepäckträger in alle Richtungen um. Anneli kam hinterher und sah sich hilfsbereit ebenfalls um, obwohl sie am liebsten genau wie der Gepäckträger auch verschwunden wäre.

„Er hat den Koffer schon mitgenommen", erklärte sie.

„Ach herrje, er hätte eure Koffer natürlich auch mitnehmen sollen", rief Tante Tinne aus. Sie warf noch einmal einen Blick durchs Zimmer und riss ihre Schranktür auf, um sich zu vergewissern, dass nichts vergessen worden war. Ein Glück, dass Jappi jetzt nicht in *diesem* Schrank stand, dachte Anneli.

„Und was um Himmels willen soll das hier darstellen?!", schrie Tante Tinne. „Hier liegt ja der ganze Kofferinhalt wie Kraut und Rüben durcheinander!"

Anneli schnappte nach Luft.

„Das haben … das haben … das haben Nicklas und ich gemacht", brachte sie schließlich heraus. „Der Gepäckträger sagte nichts davon, dass er auch die Kleider in dem Koffer mitnehmen sollte. Wir haben geglaubt, er soll nur den Koffer abholen."

Tante Tinne sagte nichts. Sie kniff nur den Mund fest zu und musterte Anneli mit einem Blick, der fast wehtat.

„Sag nichts mehr, Tante Tinne", bat Anneli. „Bitte, Tante Tinne, sonst verpassen wir noch den Zug."

Da kam wieder Leben in Tante Tinne.

„Ja, fehlte nur noch, dass wir jetzt auch den Zug verpassen", murmelte sie. „Geh sofort in dein Zimmer und schau nach, ob du deine Zahnbürste eingepackt hast ... ich muss irgendwas auftreiben, in das ich meine Kleider tun kann, und dann einen Wagen bestellen."

„Ich weiß, wo es Kartons gibt!", rief Anneli.

Sie stürzte in ihr Zimmer und holte alle Kartons, die Nicklas vorläufig hinters Bett gestopft hatte. Tante Tinnes Gesicht erhellte sich, als sie die vielen Kartons sah. Zum Glück hatte sie keine Zeit, um Anneli zu fragen, wo sie die so schnell aufgetrieben hatte.

Dann packten Anneli und Tante Tinne um die Wette. Tante Tinnes Kleider schienen inzwischen doppelt so viele geworden zu sein und quollen über sämtliche Ränder der Kartons. Sie warf sie im wilden Durcheinander von einem Karton zum andern. Man hätte fast sagen können, dass sie die Klamotten durch die Gegend pfefferte und sie in die Schachteln hineinquetschte und stopfte, wenn Tante Tinne nicht so eine feine Dame gewesen wäre. Anneli glaubte sogar gehört zu haben, wie Tante Tinne leise vor sich hin fluchte, etwas, das sie natürlich nie laut tun würde, dazu war sie viel zu wohlerzogen. Kurz darauf saßen sie im Taxi.

Anneli wagte Tante Tinne kaum anzuschauen.

„Jetzt haben wir vergessen, uns vom Direktor und dem Portier zu verabschieden", flüsterte sie. „Die stehen immer noch vor unserem Schrank!"

„Da können sie von mir aus gern stehen bleiben", bemerkte Tante Tinne kühl.

Kaum hatte das Taxi vor dem Hauptbahnhof angehalten, fing Tante Tinne an, sich wegen Nicklas Sorgen zu machen. Anneli war ebenfalls beunruhigt, wagte das aber nicht zu zeigen. Sie musste sorglos und vergnügt wirken, um Tante Tinne zu beruhigen.

„Nicklas ist doch so vernünftig", sagte Anneli. „Jedenfalls wird er das, wenn er groß ist, das sagt Mama nämlich immer. Es würde mich nicht wundern, wenn die Vernunft jetzt schon bei ihm ausgebrochen wäre, wo wir doch in Dänemark sind."

„Diese Vernunft möchte ich erst mal sehen, bevor ich daran glaube", entgegnete Tante Tinne.

Sie wirkte inzwischen regelrecht erschöpft, fast so, als fände sie es anstrengend, eine Woche lang auf Kinder aufzupassen. Da müsste sie erst mal erleben, wie es ist, ein geheimes Pony zu haben!

„Meine Nerven brechen bald mittendurch", murmelte Anneli vor sich hin.

Tante Tinne sah sie einen Augenblick lang geradezu freundlich an.

„Meine sind total verschlissen", sagte sie. „Bestehen nur noch aus Fetzen. Wenn ich daheim bin, muss ich sie mit Zwirn wieder reparieren."

Anneli tätschelte ihr die Hand.

Überall wimmelte es von Menschen. Manche standen mitten in der Bahnhofshalle an hohen Messingtischen und tranken Bier aus Glaskrügen. Andere eilten mit ihren Koffern hin und her. Manche drängten sich in den Andenkenläden, um in letzter Minute noch ein Mitbringsel zu erstehen. Nicklas war nirgends zu sehen. Tante Tinne stöhnte.

„Wenn er nicht sofort herkommt, fange ich an zu schreien."

Anneli sah sich verzweifelt um.

Plötzlich erblickte sie eine eigenartige Maschine, die an eine Personenwaage erinnerte. Sie bestand aus einer karierten Eisenplatte, auf die man hinaufsteigen sollte, und vor der Platte stand eine hohe Blechkiste, in der sich ein Geldschlitz befand. „Bitte stecken Sie hier 25 Öre hinein!", stand da. „Der Vibrationsautomat vibriert Ihre Müdigkeit hinweg! Keine gefährlichen Vibrationen! Keine Elektroschläge! Testen Sie es selbst!"

Anneli geleitete Tante Tinne behutsam zum Vibrationsautomaten.

„Stell dich hier drauf, liebe Tante", sagte sie. „Bestimmt geht es dir dann hinterher besser."

Rasch holte sie ihre letzten 25 Öre heraus – die hatte sie noch übrig, weil Tante Tinne alles für sie bezahlt hatte – und steckte die Münze in den Schlitz. Tante Tinne öffnete schon den Mund, um sich zu erkundigen, was jetzt passieren würde, als die Vibrationsmaschine startete. Die kleine Eisenplatte begann unter Tante Tinnes Schuhsohlen zu hüpfen und zu rütteln, sodass die Steinchen, die in den Karos lagen, Luftsprünge ausführten. Tante Tinne sah aus, als wollte sie um Hilfe rufen, und klammerte sich krampfhaft an den Automaten, schaffte es aber nicht, abzusteigen. Anneli beobachtete sie aufmerksam, um festzustellen, wie die Vibrationen wirkten. Tante Tinne wurde so heftig durchgerüttelt, dass ihre Strümpfe an den Beinen zitterten und ihr Mantel flatterte. Die Vibrationen pflanzten sich fort bis hinauf in Tante Tinnes Kopf, ihre Ohrringe begannen wie wild zu baumeln und ihr Hut rutschte hin und her. Plötzlich machte Tante Tinne einen Satz in die Luft und landete neben Anneli auf den Füßen.

„Ist ja toll, wie schnell einen das munter macht!", sagte Anneli begeistert und stieg ebenfalls auf die Platte.

Es kitzelte unter den Fußsohlen und ihre Knie wackelten, als würden sie lachen, doch dann konnte sie die Vibrationen nicht länger ausprobieren, weil Tante Tinne jetzt tatsächlich loschrie.

„Nicklas!", schrie sie so laut, dass es im ganzen Wartesaal hallte.

Anneli hüpfte von der vibrierenden Platte herunter. Sie war ganz rot vor Verlegenheit, weil ihre Tante sich so aufführte.

„Hier bin ich doch!", rief Nicklas und kam aus dem Gewimmel angehüpft.

Er sah froh und zufrieden aus und umarmte Tante Tinne ganz fest, worauf sie sofort mit dem Geschrei aufhörte.

„Keine Angst. Alles in Butter. Bin bloß mit dem Koffer im Zug gewesen."

Tante Tinne und Anneli seufzten beide vor Erleichterung. Der Zug würde in drei Minuten abfahren, also schleifte Tante Tinne die Kinder im Eiltempo hinter sich her auf den Bahnsteig hinaus. Anneli schaffte es kaum, Nicklas zuzuflüstern:

„Wie ist es gegangen?"

Und Nicklas konnte gerade noch antworten:

„Bestens! Als wir ankamen, war der Zug noch nicht da. Ich war kurz mit Jasper in der Gepäckaufbewahrung allein. Hab ihn hinter einem Regal auf und ab geführt, damit er sich die Beine vertreten und Gepäckstücke angucken konnte. Jetzt ist er wieder im Koffer."

„Hat er nicht gewiehert?"

„Bloß geschnaubt. Aber da hab ich dem Gepäckträger gesagt, ich sei Bauchredner."

„Hat er das geglaubt?"

„,Das kannst du mir nicht weismachen', hat er gesagt. ,Das war die Lokomotive, die Dampf abgelassen hat!'"

Nicklas lachte begeistert.

Aber Tante Tinne zerrte sie weiter im Laufschritt an dem Zug nach Stockholm entlang.

„Hier ist es", rief Nicklas und kletterte in den Wagen vor ihnen.

Anneli und Tante Tinne folgten ihm auf den Fersen und drängten sich durch den Zugkorridor vor. Vor einem Schlafwagenabteil mit säuberlich gemachten Betten blieben sie stehen. Dort thronte Tante Tinnes Koffer und füllte fast das ganze Abteil aus. Anneli streichelte ihn liebevoll.

„Jetzt haben wir es doch noch rechtzeitig geschafft, trotz aller Aufregungen und Sorgen", schnaufte Tante Tinne.

Im selben Moment fuhr der Zug los.

Ein Pfiff, und der Zug ist unterwegs

„Ach, wird das jetzt guttun, ins Bett zu gehen!", sagte Tante Tinne und ließ die Kartons auf den Koffer fallen.

„Ich darf oben liegen! Erster!", schrie Nicklas.

„Ich darf in der Mitte liegen! Erster!", schrie Anneli.

„Ich darf unten liegen, Erster!", fügte Tante Tinne hinzu.

„Dass du das willst, Tante Tinne, das ist doch überhaupt nicht spannend!"

„Genau darum", sagte Tante Tinne. „Für Spannung hab ich nicht besonders viel übrig, das kann ich dir sagen. Davon kriegt man bloß Gänsehaut und Alpträume."

Nicklas und Anneli lachten. Doch plötzlich fiel beiden gleichzeitig etwas ein: Wenn Tante Tinne unten lag, würde sie auch direkt neben dem Koffer liegen. Und dann würde sie sofort aufwachen, wenn Jasper aus dem Koffer herausgelassen würde!

„Halt! Ich hab's mir anders überlegt! Das vorhin gilt nicht, weil ich zu früh geschrien hab", erklärte Nicklas. „Wir fangen noch einmal an. Ich darf unten liegen, Erster!"

„Ich darf in der Mitte liegen, Erster!", fügte Anneli schnell hinzu. „Dann musst du ganz oben schlafen, Tante Tinne!"

Tante Tinne sah wieder einmal völlig verblüfft aus.

„Na, so was! Sonst streitet ihr euch doch immer darum, wer oben schlafen darf. Da will ich lieber nicht ..."

„Doch, das darfst du gern, Tante Tinne!", sagte Nicklas großzügig. „Ich finde es langweilig, immer oben zu liegen. Das ist was für kleine Kinder, dafür bin ich jetzt zu alt. Inzwischen liege ich viel lieber ganz unten!"

„Aha. Da bist du aber unglaublich schnell älter geworden. Wenn man innerhalb einer halben Minute so viel an Alter und Weisheit zunehmen kann, sind wir alle miteinander bestimmt grauhaarig, bis wir in Stockholm ankommen", bemerkte Tante Tinne. „Wozu soll das hier jetzt wieder gut sein?"

„Zu gar nichts, liebe Tante, aber ich würde mich viel sicherer fühlen, wenn du ganz oben liegst!"

„Und warum das denn?"

„Tja ... ääh ... weiß nicht ... ist bloß so ein Gefühl. Falls irgendein Tunnel über dem Zug zusammenkrachen sollte oder so ..."

„Dann würde ich deiner Meinung nach das Schlimmste auffangen! Na, besten Dank!"

„Ich trau mich einfach nicht, oben zu liegen", machte Nicklas weiter. „Womöglich träume ich, dass ich vom Eiffelturm springe, dann fall ich runter und brech mir was!"

„Und mir tun die Knie weh, weil ich zu schnell gewachsen bin, ich kann unmöglich nach oben klettern!", fügte Anneli rasch hinzu.

„Jajaja, ich mag nichts mehr über eure Zipperlein hören. Ihr könnt machen, was ihr wollt", sagte Tante Tinne schließlich. „Hat man schon mal solche Dickköpfe gesehen wie euch zwei! Aber wenn ihr glaubt, ich würde wie eine Spinne an ihrem Faden rauf und runter klettern, wenn ich mich erst mal oben hingelegt habe, bloß um euch alle fünf Sekunden was zu trinken zu bringen oder noch mal zuzudecken, dann habt ihr euch getäuscht ... und ewig miteinander schwatzen, das gibt's auch nicht, falls ihr das geglaubt haben solltet!"

„Nein, nein, wir sind ganz still, damit du gleich einschlafen kannst", beteuerte Nicklas.

„Dann könnt ihr schon mal in den Korridor rausgehen, während ich mich ausziehe", sagte Tante Tinne.

Sie schob die Kinder hinaus und schloss die Schiebetür direkt vor ihren Nasen. Jetzt war Tante Tinne mit dem Koffer im Abteil allein.

Anneli und Nicklas pressten die Ohren an die Tür, um zu horchen, was drinnen vor sich ging. Doch der Zug klopfte zu laut, das Einzige, was sie hörten, waren die Schienenstöße, sie klangen wie „nach – Stockholm – nach – Stockholm – nach – Stockholm ..." Etwas weiter hinten im Korridor streckte ein Herr den Kopf aus seinem Abteil. Anneli und Nicklas richteten sich auf.

„Bestimmt sind es jetzt nur noch ungefähr sechshundertzweiunddreißig Kilometer nach Stockholm", sagte Nicklas hoffnungsvoll. „Ich schau mal in meinem Taschenkalender nach."

„Hast du noch ein Geschenk für Papa und Mama besorgen können?", fragte Anneli.

„Nö. Ich musste doch den Gepäckträger mit meinem letzten Geld bezahlen. Er fragte, ob ich die Pflastersteine vor dem Rathaus ausgegraben hätte, um sie als Andenken mit nach Hause zu nehmen. Der Koffer sei echt mordsschwer ..."

Anneli seufzte.

„Dann müssen wir ihnen meine Sachen eben gemeinsam schenken", sagte sie.

Sie versuchte, mit dem Hinterkopf zu erlauschen, was Tante Tinne jetzt gerade machte. Plötzlich ging die Tür hinter ihnen auf und eine blasse, sorgfältig eingecremte Hand winkte sie herein. Tante Tinne in ihrem veilchenblauen Bettjäckchen mit der hellblauen Schleife lag bereits im oberen Bett.

„Ich war zu müde, um die Kleider aus den Kartons in den Koffer umzupacken", sagte sie. „Dafür ist es hier drin zu eng. Das müssen wir morgen früh erledigen."

Nicklas und Anneli lief es kalt über den Rücken. Sie schlüpften ins Abteil und schlossen möglichst rasch die Tür hinter sich. Sie hatten es so eilig, ins Bett zu kommen, damit Tante Tinne nur ja schnell einschlief, dass sie nicht einmal die Stoffbarrieren vor den Betten einhängten oder mit den kleinen, metallisch glänzenden Nachtlampen herumspielten, die über jedem Bett angebracht waren. Annelli kletterte in ihre Koje hinauf und zog sich wie ein gelenkiger Aal im Liegen aus. Nicklas stand auf dem kleinen Fleck, der zwischen dem Koffer und der Tür übrig war, und riss sich blitzschnell die Kleider vom Leib. Dann löschten sie schleunigst das Licht und zählten auf hundert.

„Schläfst du, Tante Tinne?", flüsterte Anneli.

„Nein, ich muss an all die Sachen denken, die wir erlebt haben", sagte Tante Tinne. „An unsere vielen Abenteuer. Wie Anneli sich im Zoologischen Garten verirrt hat und Nicklas im Museum. An das Gras, das du für Anneli gepflückt hast, Nicklas, und an den Mann im Wandschrank. Aber eins begreife ich einfach nicht!"

„Was denn?", flüsterten Nicklas und Anneli.

„Warum das Tivoli erst im Mai seine Pforten öffnet!", sagte Tante Tinne und drehte sich in ihrem Bett um.

„Schlaf jetzt, Tante Tinne", sagte Nicklas streng.

Tante Tinne gluckste vor sich hin. Als sie Gute Nacht sagte, klang es, als würde sie lachen.

Anneli schob die Hand unters Kissen, wo es am kühlsten war, und zählte noch drei Mal auf hundert. Was sollten sie machen, wenn Tante Tinne nicht schlafen konnte und die ganze Nacht bloß wach lag und horchte? Anneli zählte noch zwei Mal auf hundert. Dann hörte sie Nicklas, der ihr ins Ohr hauchte:

„Jetzt öffne ich den Koffer. Ich kann nicht länger warten!"

Vorsichtig spähte Anneli durch die Dunkelheit zu ihm nach unten. Eine kurze Sekunde lang klappte sie das Nachtlicht auf, um die Schlösser des Koffers zu sehen, und machte das Licht dann schnell wieder aus. Der Deckel ließ sich einen Spaltbreit öffnen, aber nicht so weit, dass der ganze Jasper heraus konnte. Nicklas schloss den Deckel wieder.

„Wir müssen ihn in den Korridor rausziehen", flüsterte er.

Das war leichter gesagt als getan. Jasper war schwer und der Koffer groß. Man konnte den Koffer nirgends richtig anpacken, und um ihn zu ziehen, gab es nicht genügend Platz. Nicklas musste in den kleinen Spalt zwischen Koffer und Zugfenster kriechen und sich dann mit Armen und Beinen gegen die Wand stemmen. Der Koffer bewegte sich widerstrebend zehn Zentimeter in Richtung Tür.

„Hähähähä", wieherte es plötzlich.

Nicklas und Anneli erstarrten in der Dunkelheit und hielten die Luft an. Doch Tante Tinne schien nichts gehört zu haben. Sie schlief wohl tief und fest.

„Wir müssen schnell raus in den Korridor", flüsterte Nicklas. „Das hier klappt nicht!"

Anneli kletterte nach unten, schob die Abteiltür auf und spähte hinaus. Niemand zu sehen. Am besten, sie versuchten es sofort. Mit gemeinsamen Kräften gelang es ihnen schließlich, den Koffer hinauszubugsieren.

„Wir müssen bloß ein bisschen in unserem Abteil umräumen", erklärte Nicklas einem Herrn, der vorbei wollte.

Der Herr sah etwas irritiert aus, als er über den Koffer klettern musste, sagte aber nichts und verschwand am anderen Ende des Wagens. Nicklas und Anneli kämpften weiter.

„Jetzt können wir den Koffer öffnen. Hoffentlich kommt niemand", murmelte Anneli schließlich.

Sie sahen sich um. Der Korridor war leer. Anneli öffnete den Koffer und führte Jasper heraus. Nicklas zerrte den Koffer wieder ins Abteil und hievte ihn auf Annelis Bett hinauf.

„So, jetzt kann Jasper neben uns stehen, während wir schlafen. Tante Tinne merkt bestimmt nichts, bevor es hell wird. Rein mit dir, Jappi! Zurück, zurück, zurück!"

Jasper gefiel es gar nicht, wieder in die Dunkelheit und Enge des Abteils hinein zu müssen, das war deutlich, aber als Nicklas ihm die Stirn gekrault und Anneli ihm das rechte Hinterteil getätschelt hatte, bewegte er sich schließlich doch rückwärts ins Abteil hinein. Vorsichtig schlossen sie die Tür hinter sich. Bis morgen früh hatten sie jetzt wohl Ruhe.

Anneli holte die Futtertüte aus ihrem Koffer. Viel Futter war nicht mehr übrig, obwohl Nicklas im Park Gras gepflückt hatte. In der Tüte lagen nur noch ein paar Stück Zwieback und etwas Brot. Anneli holte einen Zwieback heraus und tastete in der Dunkelheit nach dem Maul des Ponys. Jasper fand ihre Hand und begann zu knabbern. Plötzlich fuhr draußen in der Nacht ein entgegenkommender Zug an ihrem Fenster vorbei und stieß dabei einen schrillen Pfiff aus. Jasper schnaubte auf und ließ den Zwieback auf den Boden fallen. Nicklas hob ihn schnell wieder auf.

„Bitte sehr, hier hast du das letzte Stück", flüsterte er.

Da bewegte sich Tante Tinne in ihrer Koje.

„Was kaut ihr denn da, Kinder?", fragte sie schläfrig. „Nach dem Zähneputzen soll man doch nichts mehr essen!"

Anneli hielt Jasper das Maul zu, um ihn am Weiterkauen zu hindern.

„Nichts, Tante Tinne", sagte sie.

„Ich auch nicht", sagte Nicklas. „Soll ich raufklettern und dir zeigen, dass ich nichts im Mund hab?"

„Nein danke, mach dir meinetwegen keine Mühe, schlaf lieber", sagte Tante Tinne.

Nicklas' und Annelis Herzen, die vor Schreck kurz stehen geblieben waren, kamen wieder in Gang. Sie versuchten, noch leiser zu sein, und streichelten Jasper von beiden Seiten, damit er sich ruhig verhielt, bis Tante Tinne wieder eingeschlafen war. Beide trauten sich nicht, sich vom Fleck zu rühren. Endlich beugte sich Anneli in der Dunkelheit zu Nicklas und flüsterte dicht an seinem Ohr:

„Wir können nicht die ganze Nacht so stehen bleiben, ich möchte ins Bett! Gib Jappi etwas zu trinken, damit er nach dem Zwieback keinen Durst kriegt, dann schlafen wir."

Nicklas nickte mit dem Kopf, sodass sie es fühlte.

Sie tasteten sich zum Waschbecken hin und klappten den Holzdeckel hoch. Dann drückte Nicklas auf den Wasserhahn, während Anneli Jasper festhielt.

„So ist's brav, trink jetzt schön aus dem Waschbecken, mein Kleiner … ", murmelte sie.

Aber plötzlich war Tante Tinne wieder munter.

„Was höre ich da? Will Nicklas etwa aus dem Waschbecken trinken? Kommt nicht in Frage", sagte sie scharf.

Nicklas sah auf. Er konnte Tante Tinnes Gesicht nicht erkennen. Offensichtlich lag sie auf der Seite, zur Wand hin, und lauschte.

„Nein, nein, das tu ich nicht, Tante Tinne. Du kannst ruhig weiterschlafen!" Um ein Haar hätte Tante Tinne Jasper entdeckt!

„Brrr, du steckst ja den ganzen Kopf hinein, Dummerchen", flüsterte Anneli vorsichtig.

Jasper schnaubte vergnügt.

„O je, du klingst ganz erkältet, Anneli", ließ sich Tante Tinne von oben vernehmen. „Du schniefst ja so! Deck dich sofort mit der Extradecke zu!"

„Natürlich, Tante Tinne, das hab ich schon getan! Schlaf jetzt, Tantchen!"

Tante Tinne seufzte. Anneli versuchte, Jaspers Kopf aus dem Waschbecken zu ziehen, damit er kein Wasser in die Ohren bekam, doch das Pony war störrisch und ließ sich nicht von der Stelle bewegen. Es stieß mit dem Kopf an den Wasserhahn, worauf der Wasserstrahl schräg zur Seite spritzte.

„Nimm ihn weg, ich werd klitschnass!", flüsterte Nicklas.

Anneli kraulte Jasper die Stirn und tätschelte ihm wieder das linke Hinterteil.

„So ist's gut, fein, fein, du bist ja so tüchtig …", sagte Nicklas einschmeichelnd.

„Das gefällt dir wohl, so hinterm Ohr gekrault zu werden", flüsterte Anneli.

Da wieherte Jasper ausgelassen.

„Nein, jetzt ist es aber genug!", kam es plötzlich von oben.

Und diesmal klang es gar nicht mehr schläfrig. „Hört sofort damit auf, einander hinter den Ohren zu kraulen und dort unten Unfug zu machen! Es ist doch mitten in der Nacht! Und untersteht euch ja nicht, das alberne Wiehern dieses albernen Portiers noch einmal nachzuäffen und alle Leute aufzuwecken! Habt ihr gehört, was ich sage?!"

„Klar doch, logisch, schnarch, schnarch, wir schlafen schon, Tante Tinne", beeilte sich Nicklas zu sagen.

Sie krochen beide ins unterste Bett und lagen mucksmäuschenstill nebeneinander. Womöglich käme Tante Tinne sonst noch auf die Idee, nach unten zu schauen. Sie versuchten, sich vorzustellen, wie ein Pony von oben aussehen mochte, wenn es so dunkel war wie hier im Abteil. Vielleicht konnte man es gar nicht erkennen, vielleicht sah man es aber auch ganz deutlich! Anneli hauchte Nicklas ins Ohr:

„So geht's nicht! Er muss in den Korridor hinaus! Inzwischen schlafen bestimmt alle Passagiere."

„Okay", sagte Nicklas.

Er spähte zu Tante Tinne hinauf, von der nichts zu hören oder zu sehen war, dann schob er rasch die Tür des Abteils auf.

„Muss bloß kurz aufs Klo", murmelte er und führte Jasper in den Gang hinaus.

Gute Nacht?

Der Zugkorridor lag einsam und verlassen da, so weit das Auge reichte. Der Waggon rüttelte und wackelte und vor den Fenstern flatterte die Nacht vorbei wie ein ewig langer blauer Schal. Ab und zu funkelten Perlenbänder aus Laternenlichtern und irr-lichternden Autoscheinwerfern auf. So am Fenster zu stehen und hinauszuschauen, das war schön und gleichzeitig spannend. Bisher war Nicklas noch nie allein mit einem Pony in einem Zugkorridor gewesen. Diese Gelegenheit musste er ausnützen!

„Eigentlich könnten wir jetzt einen kleinen Spazierritt machen", überlegte er. „Du, Jappi, brauchst Bewegung und ich muss sowieso so schnell wie möglich reiten lernen. Steh mal kurz still!"

Jasper hatte nur das Halfter an, weder eine Decke noch einen Sattel, aber Nicklas hatte nichts dagegen, auf einem ungesattelten Pferd zu reiten. Jasper war ja so klein, dass man den Boden fast mit den Füßen berührte, wenn man auf seinem Rücken saß. Das konnte nicht sehr gefährlich werden.

„Warte kurz! Brrr! So ist's brav!"

Nicklas schwang dem Pony ein Bein über den Rücken und setzte sich zurecht. Hier saß man ausgezeichnet, warm, bequem und sicher. Er beschloss, im Winter jeden Morgen auf Jasper zur Schule zu reiten. Oder wenigstens jeden zweiten Morgen, falls Anneli darauf bestand, auch reiten zu wollen.

„Hoppla, Jappi, jetzt geht's los!", sagte Nicklas und drückte dem Pferd die Knie in die Seiten.

Jasper schoss im Galopp davon. Er hatte lange darauf gewartet, sich bewegen zu dürfen. Jetzt raste er durch den Gang, bis die Wand ihn bremste. Als er anhalten musste, schlug er wütend nach hinten aus. Nicklas wäre heruntergefallen, wenn es mehr Platz gegeben hätte. Doch weil es den nicht gab, knallte er stattdessen nur gegen die Wand.

„Au, wenn das jemand gehört hat! Am besten, wir reiten weiter, zum nächsten Wagen", sagte er sich.

Er streckte den Arm über Jaspers Kopf aus und schob die Schwingtür auf. Jasper spitzte die Ohren, als er den rüttelnden

Übergang sah, doch dann streckte er den einen Huf vor und tastete sich mutig voran.

„Braves Pferdchen, feines Pferdchen!", sagte Nicklas anspornend.

Sie galoppierten wieder los. Auch in diesem Wagen streckte kein Mensch auch nur die Nasenspitze aus dem Abteil, aber sicherheitshalber stieg Nicklas vor jedem neuen Waggon vom Pferd und spähte hinein, bevor er wieder aufsaß und weiterritt. Leider waren es nicht allzu viele Wagen bis zur Lokomotive und weder Nicklas noch Jasper hatte Lust aufzuhören.

„Am besten, wir wenden hier und reiten in die andere Richtung zurück!", entschied Nicklas.

Doch das war nicht so leicht, wie er gedacht hatte. Jasper war zwar klein, aber ihn in einem engen Zugkorridor umzudrehen, erwies sich als ziemlich schwierig. Nicklas stieg ab, packte ihn an der Mähne und versuchte, ihn in der Mitte ein bisschen umzubiegen und herumzuführen, doch dagegen sträubte sich das Pony. Nicklas musste es stattdessen durch den ganzen langen Korridor rückwärts schieben, bis er an eine etwas breitere Stelle kam. Dort öffnete er die Tür zur Toilette und schob es zur Hälfte hinein, danach war es keine Kunst, es in die gewünschte Richtung zu wenden. Aber Jasper schnaubte, das viele Rückwärtsgehen hatte ihn nervös gemacht.

„Hoppla hopp, jetzt geht's weiter", sagte Nicklas, saß auf und presste dem Pony die Knie in die Flanken.

Doch da schlug Jasper aus. Er trat hart zur Seite gegen eine Abteiltür und schüttelte so heftig den Kopf, dass Nicklas fast vornübergeschossen wäre. Und außerdem weigerte er sich hartnäckig, sich vom Fleck zu rühren.

Die Abteiltür flog weit auf. Ein Herr streckte seinen wütenden Kopf heraus, der zu einem schlafanzugsbekleideten Körper irgendwo in der mittleren Koje gehörte.

„Was fällt euch ein, mitten in der Nacht gegen die Tür zu treten und ...", fauchte er.

Dann veränderte sich sein Tonfall und klang völlig verblüfft, aber immer noch gleich wütend:

„Was zum ... hast du dir extra ein Pferd geholt, um Krach zu machen?! Was glaubst du eigentlich, du Lümmel! Gibt es hier keinen Schaffner ...?!"

Als Jasper diese wütende Stimme hinter sich hörte, kam Leben in ihn.

„Lauf um dein Leben", flüsterte Nicklas, worauf das Pony in den nächsten Wagen davonsetzte, so schnell seine kurzen Beinchen es trugen.

Sie galoppierten, spornstreichs weiter, in den übernächsten Wagen hinein. Dort wollte Nicklas kurz anhalten, um sich zu vergewissern, dass der Korridor leer war. Er packte das Halfter und bremste mit den Füßen. Doch da schlug Jasper schon wieder aus und traf eine neue Abteiltür. Als Nicklas hörte, wie die Tür langsam aufging, ließ er Jasper ungebremst weitergaloppieren.

„Guck mal, Mami, was für ein süßes Pferdchen", sagte eine schläfrige Kinderstimme hinter ihm und eine noch schläfrigere Frauenstimme beschwerte sich:

„Hund, meinst du wohl, schließ sofort die Tür und leg dich wieder hin!"

Mit klopfenden Hufen galoppierte Jasper außer Hörweite. Zum Glück klopfte der Zug noch lauter.

Jetzt musste Nicklas sein Abteil schleunigst wiederfinden, um Jasper zu verstecken, das war ihm klar, inzwischen konnte er sich allerdings nicht mehr an die Abteilnummer erinnern. Wie weit war er geritten? Vier Wagen vor und zwei zurück? Oder waren es drei? Eine der Abteiltüren kam ihm bekannt vor, also öffnete er sie versuchsweise. Als Erstes erblickte er einen Frauenkopf voller Lockenwickler.

„Oh, Entschuldigung, ich wollte Sie nicht wecken … hab geglaubt, das sei mein Abteil", sagte Nicklas erschrocken.

„Dein Abteil! Du siehst doch, dass ich hier liege! Und auch noch Hunde anzuschleppen … Was sehe ich! Das ist ja ein Pferd! Ein Pferd! Glaubst du etwa, das hier ist eine Pferdebox?"

Nicklas schlug die Tür so schnell wie möglich zu und ließ Jasper davongaloppieren. Hier konnte er nicht bleiben. Also musste sein Abteil im nächsten Wagen sein, Abteil Nummer 26 oder 38, meinte er sich zu erinnern, aber woher sollte er den Mut nehmen nachzuschauen?

Anneli hatte eine wahre Ewigkeit lang stillgelegen und darauf gewartet, dass Nicklas zurückkam. Hinauszugehen wagte sie nicht, weil sie befürchtete, Tante Tinne könnte ihr dann folgen. Plötzlich hörte sie draußen galoppierende Hufe, doch dann wurde es wieder still – bis jemand laut an die Tür klopfte.

„Seid ihr immer noch nicht eingeschlafen, Kinder?", ließ sich Tante Tinnes Stimme vernehmen. „Nicklas braucht doch nicht anzuklopfen, bevor er ins Abteil kommt."

Anneli öffnete zögernd die Tür, schloss sie aber blitzschnell wieder zu. Nicht Nicklas stand draußen, sondern ein Schaffner.

„Das ist nicht Nicklas, Tante Tinne, das ist jemand anderes", flüsterte sie.

Doch da verwandelte sich ihre Tante wieder in die furchtein-flößende Tante Tinne. Allmählich bekam sie Übung darin, das merkte man.

„Wer kann das sein!", sagte sie laut. „Wer nimmt sich die Unverschämtheit heraus, alte Damen und schlaflose kleine Kinder zu stören! Um was handelt es sich?!"

„Entschuldigen Sie die Störung, aber mehrere Fahrgäste haben sich beschwert", begann der Schaffner, als sie aufmachte.

„Beschwert?!", sagte Tante Tinne. „Haben Sie beschwert gesagt? Na, das wundert mich nicht, so wie Sie hier herumlaufen und an den Türen herumhämmern! Muss man heutzutage einen Sonderzuschlag bezahlen, um ungestört im Schlafwagen schlafen zu dürfen? Was fällt Ihnen ein, uns einfach so zu wecken? Wird der Zug entgleisen oder um was geht es überhaupt?"

„Nein, es geht um ein Pferd", erklärte der Schaffner. „Mehrere Fahrgäste sind von einem Pferd gestört worden, das hier draußen im Gang herumgaloppiert."

„Ein Pferd?", sagte Tante Tinne. „Ein Pferd in einem Zug? Das ist wohl das Verrückteste, was ich je gehört habe! Sind Sie wirklich so dumm, dass Sie auf so etwas hereinfallen?"

„Nein, ich habe vorhin erst erklärt, dass es sich um einen Irrtum handeln muss", sagte der Schaffner. „‚Sie müssen geträumt haben, mein Herr‘, sagte ich. ‚Seit vielen Jahren habe ich keine Fahrkarte mehr für ein Pferd gestempelt und im Übrigen reisen Pferde immer im Güterwagen‘, sagte ich ... "

„Na, da sehen Sie es doch selbst", sagte Tante Tinne. „Wieso kommen Sie dann und wecken anständige Leute mitten in der Nacht, nur um eine Menge Unsinn von sich zu geben! Verschwinden Sie bitte möglichst schnell und lassen Sie uns in Ruhe! Als ob es nicht schwierig genug wäre, im Zug zu schlafen, auch ohne an den abscheulichen Albträumen anderer Personen teilnehmen zu müssen ...!"

„Tut mir leid, aber ich habe zugesagt, der Sache gründlich nachzugehen", beharrte der Schaffner.

Anneli kroch unter die Decke und zog sich das Leintuch fest über den Kopf, während sie zuhörte.

„Nein, jetzt verliere ich gleich den Verstand", rief Tante Tinne aus. „Wollen Sie im Ernst behaupten, dass Sie hier drinnen bei uns nach einem Pferd suchen? Dann dürften Sie noch nie im Leben ein Pferd gesehen haben! Pferde sind zwei Meter hohe Tiere. Am einen Ende haben sie einen großen Kopf und am anderen einen langen Schwanz. Bitte, haben Sie die Güte, mir meinen Morgenrock zu reichen, damit ich herunterkommen kann, um Sie nach draußen zu befördern!"

Jetzt klang der Schaffner schon eher besänftigend:

„Immer mit der Ruhe, meine Dame, das war nur eine Routineuntersuchung. Ich sehe ja, dass hier kein Pferd ist."

„Tatsächlich!", ertönte Tante Tinnes Stimme. „Wollen Sie nicht unter den Kopfkissen der Kinder nachschauen, für den Fall, dass sie irgendwelche Pferde dort versteckt haben? Oder in meinem Zahnbürstenetui vielleicht? Tun Sie sich keinen Zwang an!"

„Na, na, nun seien Sie mal nicht zu spitz, gute Frau, ich tue bloß meine Pflicht. Gute Nacht, die Dame!"

Der Schaffner schlug die Tür zu und Anneli warf das Leintuch ab, um sich zu vergewissern, dass er tatsächlich gegangen war.

„Gute Nacht", schnaubte Tante Tinne über ihr. „O ja, das hier ist mir wirklich eine gute Nacht! Hat man schon mal so was erlebt!"

„Bin ich froh, dass du ihn rausgeworfen hast", flüsterte Anneli. „Ich hab solche Angst gehabt!"

Sie schlüpfte rasch aus ihrem Bett und schob die Abteiltür einen Spaltbreit auf. Der Schaffner verschwand gerade in Richtung Lokomotive. Er hatte beschlossen, den aufgebrachten Herrn im Nachbarwagen zu fragen, ob er sicher sei, tatsächlich ein Pferd gesehen zu haben. Anneli schaute sich beunruhigt nach Nicklas um. Zuerst sah sie nur einen leeren Gang, doch dann tauchte Nicklas' Nase vorsichtig am anderen Ende des Wagens auf. Kaum hatte er sie erblickt, winkte er ihr zu.

„Was soll ich machen? Er wird uns finden", flüsterte er so laut er konnte.

Anneli verstand, was er sagte, ohne ihn hören zu können.

Sie winkte ihn zu sich her.

Nicklas sah sich um und kam angehuscht, Jasper im Schlepp-tau. Anneli trat aus dem Abteil.

„Stell Jasper am besten in unser Abteil. Hier schaut bestimmt niemand so schnell wieder nach. Und wenn doch, müssen wir eben alles gestehen!", flüsterte sie ihm ins Ohr

Nicklas nickte düster. Todesmutig öffnete Anneli die Abteil-tür und schob Jasper hinein.

„Ist Nicklas jetzt endlich im Bett?", fragte Tante Tinne streng.

„Ja, gleich", antwortete Nicklas.

Dann schloss sich die Schiebetür hinter ihm und die Dunkel-heit senkte sich freundlich, aber bestimmt wieder über die ganze Gesellschaft.

Ein turbulenter Morgen

Irgendwann mussten alle eingeschlafen sein, denn plötzlich merkte Anneli, dass sie aufgewacht war – und da musste sie ja vorher geschlafen haben. Im Abteil war es heller geworden, durch die Ritzen neben dem Rollo strahlte Licht. Draußen schien wohl die Sonne.

Jasper stand mit hängendem Kopf da und schaukelte im Takt mit dem Zug. Der grüne Vorhang neben dem Fenster sah irgendwie seltsam aus, als hätte jemand in der Nacht daran gekaut, er war allerdings nicht kaputt, nur nass. Anneli linste zu Nicklas hinunter. Er schlief noch. Tante Tinne schnaufte friedlich vor sich hin. Wenn sie nur so weitermachen würde, bis sie in Stockholm ankamen!

Anneli begann zu überlegen. Bald würde der Schaffner kommen, um sie alle zu wecken. Und was würde er als Erstes sehen, wenn er die Tür öffnete? Natürlich Jasper!

Anneli wälzte sich unruhig hin und her. Was würde dann passieren? Würde er das Pony beschlagnahmen? Oder würde Tante Tinne Strafe bezahlen müssen?

„Am besten stelle ich Jasper fürs letzte Stück in die Toilette", dachte sie. Lautlos wie ein Geist kletterte Anneli aus ihrer Koje nach unten und schob genauso lautlos die Abteiltür auf. Nicht einmal Jasper bewegte sich. Sie ging vorsichtig hinaus und machte die Tür hinter sich zu, um nachzuschauen, ob jemand im Gang unterwegs war, bevor sie das Pony herausholte. Der Zug ruckelte so sehr, dass sie sich, verschlafen wie sie war, kaum auf den Füßen halten konnte. Aber schließlich erreichte sie doch die Toilette, in der es hell und leer war. Als sie wieder herauskam, ging der Schaffner gerade in Richtung Lokomotive vorbei. Anneli rief leise hinter ihm her.

„Herr Schaffner! Herr Schaffner!"

Er blieb stehen und drehte sich um. Anneli wurde verlegen, aber sie musste unbedingt erfahren, wie alles weitergegangen war.

„Was hat der Herr gesagt, der ein Pferd gesehen hatte?", flüsterte sie.

Der Schaffner schnaubte. Jetzt hatte er sie von heute Nacht wiedererkannt.

„Nichts", erwiderte er kurz. „Er war schon ausgestiegen!"

Anneli lächelte erleichtert, huschte dann zu ihrem Abteil zurück und blieb davor stehen, bis der Schaffner verschwunden war. Dann schob sie leise die Tür auf, tätschelte Jasper vorsichtig das rechte Hinterteil, bis er den Kopf umdrehte, und führte ihn in den Korridor hinaus. Er sah bereits munter und unternehmungslustig aus.

„Mein süßer kleiner Jappi, jetzt sind wir bald zu Hause und dann wirst du sehen, wie schön es bei uns ist", flüsterte Anneli ihm ins Ohr. „Ich hab ein eigenes Zimmer und Nicklas auch und für den Anfang darfst du in der Garage wohnen ... aber bald bauen wir dir einen eigenen Stall! Das heißt, wenn Papa es erlaubt, natürlich!"

Sie führte ihn in die Toilette und ließ ihm Wasser ins Waschbecken ein. Aber als sie die Tür schließen wollte, stellte sie fest, dass das nicht möglich war. Die Tür ging nach innen, und solange Jasper drinnen stand, ließ sie sich nicht schließen. Jasper erst rauszuführen und dann die Tür zu schließen hatte natürlich keinen Sinn. Anneli wurde es ganz kalt vor Entsetzen. Was sollte sie jetzt tun? Da fiel ihr die Plattform am Ende des letzten Waggons ein. Dort im Freien wäre genügend Platz für Jasper, und weil Ponys keine Gitter öffnen können, bestand keine Gefahr, dass er rausfiel.

„Komm, Jasper! Schnell, schnell! In diese Richtung!"

Anneli zerrte ihn aus der Toilette und begann im Eiltempo

durch die Korridore zu rennen. Jasper folgte ihr begeistert. Ein einziges Mal mussten sie im Übergang zwischen zwei Wagen warten, bis ein Mann eine Zigarette zum Fenster hinausgeworfen hatte, bevor er in sein Abteil ging. Schließlich gelangten sie glücklich hinaus auf die Plattform.

Hier pfiff ihnen ein kalter Wind um die Ohren. Anneli in ihrem dünnen Schlafanzug presste sich an Jasper und hielt ihre Haare fest, damit sie nicht davonflogen. Jasper schnappte nach Luft, sah aber zufrieden aus.

„Du brauchst deine Decke, sonst erkältest du dich!" Anneli musste schreien, weil es hier draußen so laut war.

Jasper wieherte. Doch das Wiehern flog so schnell mit dem Wind davon, dass niemand es hatte hören können.

„Ha, hier draußen kannst du so viel wiehern, wie du willst", schrie Anneli. „Bleib jetzt brav hier stehen, Jappi, ich komme gleich zurück!"

Dann lief sie erleichtert durch den Zug zurück. Dort draußen auf der letzten Plattform würde Jasper ungestört sein, dort hatte niemand etwas zu suchen.

Im Abteil weckte sie Nicklas und flüsterte ihm zu, wie gut sie alles gelöst hatte.

Nicklas klopfte ihr auf den Rücken.

„Super", sagte er leise. „Warum ist uns das nicht gleich eingefallen?"

„Die ganze Nacht hätte er nicht dort stehen können. Dann wäre er bestimmt erfroren", wandte Anneli ein.

„Seid ihr schon wach?", fragte Tante Tinne.

Sie setzte sich auf, zog wieder ihr veilchenblaues Bettjäckchen über und schaute freundlich zu ihnen herunter.

„Unglaublich! Es ist schon fast halb sechs! Da haben wir trotz allem doch ziemlich viele Stunden geschlafen. Seid ihr müde, Kinder?"

„Nein, kein bisschen", sagte Anneli. „Guten Morgen, liebe Tante!"

„Wir sind munter und quietschvergnügt", sagte Nicklas.

Er hüpfte aus dem Bett und stellte sich mitten ins Abteil, um sich tüchtig zu recken und zu strecken.

Doch da begann der Zug, sich seltsam zu benehmen. Der Boden, der bisher wie eine hartnäckige Klapperschlange gerüttelt und gebebt hatte, bekam plötzlich Zuckungen. Die Trinkgläser und die Karaffe klapperten in ihren Behältern an der Wand und die Mäntel an ihren Wandhaken hüpften. Der Zug hatte vor anzuhalten. Nicklas und Anneli rissen die Augen auf.

„Sind wir schon da?", schrie Nicklas.

„Nein, nein, wir sind wahrscheinlich in Järna oder möglicherweise in Södertälje", sagte Tante Tinne.

Nicklas stürzte in den Korridor hinaus. Anneli wäre am liebsten hinterhergestürzt, sie wusste nämlich, was er vorhatte: Er wollte nach Jasper schauen, damit niemand kam und ihn wegholte. Aber Tante Tinne allein zu lassen wagte sie dann doch nicht.

„Hast du gut geschlafen, Tante Tinne?"

„Nein, ich habe haarsträubendes Zeug geträumt", sagte Tante Tinne. „Alles drehte sich um Pferde. Stampfende Pferde und lachende Pferde und Pferde, die Schaffner bissen. Das Letztere habe ich sicherheitshalber zwei Mal geträumt."

„Waren sie niedlich?", fragte Anneli.

„Nein, sie sahen beide Male genauso aus wie unser Schaffner hier im Zug", sagte Tante Tinne zufrieden.

Sie streckte die Beine über den Bettrand und kletterte vorsichtig auf ihrer kleinen Bettleiter nach unten.

„Vielleicht ist es besser, sich schon mal anzuziehen", sagte sie. „Ich mache den Anfang, dann könnt ihr euch nachher am Waschbecken waschen."

Nicklas riss die Tür auf und kam hereingestürzt.

„Gehst du kurz raus in den Gang, Nicklas, damit ich mich in Ruhe anziehen kann", sagte Tante Tinne freundlich. „Das dauert nur ein paar Minuten."

Nicklas stürzte wieder hinaus.

Anneli starrte hinter ihm her. Er hatte Jaspers Futtertüte an sich gerissen, die sie in der Nacht hervorgeholt hatten, seinen eigenen Rucksack und noch einiges mehr. Wenn Tante Tinne jetzt die Tüte sah! Doch da war Nicklas schon verschwunden. Anneli wollte sich hinausdrängen, um ihn zu fragen, was er vorhatte, aber Tante Tinne war im Weg. Also konnte sie nur die Nase ans Fenster pressen, in der Hoffnung, um die Ecke schauen und sehen zu können, was am Ende des letzten Wagens geschah.

Tante Tinne wusch sich. Sie hatte alle ihre hübschen Fläschchen mit Duftwasser und Mundwasser vor dem Spiegel aufgereiht und pflegte sich genauso gründlich, als wäre sie daheim in ihrem eigenen Badezimmer. Plötzlich drehte sie sich um.

„Weint da jemand?", fragte sie. „Was ist denn, Anneli? Freust du dich nicht darüber, wieder nach Hause zu kommen?"

„Doch, doch, es ist nichts", murmelte Anneli.

„Du hast irgendwas, das höre ich doch", sagte Tante Tinne und kam zu ihr her. „Na, mein Schatz, jetzt erzähl deiner Tante mal, was dir fehlt, dann werde ich dich trösten!"

„Ich seh gerade ein armes kleines Pony, das vom Bahnsteig weggeführt wird", flüsterte Anneli.

„Ach, sonst nichts", sagte Tante Tinne. „Als ob das so schlimm wäre!"

„Natürlich ist das schlimm!", sagte Anneli. „Es darf nicht mehr im Zug bleiben! Was wird jetzt aus ihm? Wenn es hungern muss und schlecht behandelt wird, werde ich nie mehr froh! In meinem ganzen Leben nicht!"

„Unsinn, Anneli. Dem Pony passiert bestimmt nichts. Sein richtiger Besitzer wird es bald hier abholen, und dann leben sie glücklich bis ans Ende ihrer Tage, wie es im Märchen heißt", sagte Tante Tinne munter.

„Glaubst du das wirklich, Tante Tinne?", seufzte Anneli tränenerstickt. Sie sah, wie ein paar Bahnarbeiter Jasper zum Bahnhofsgebäude führten, nach einem Platz suchten, wo sie ihn anbinden konnten, und sich für eine Regenrinne an der Ecke des Bahnhofs entschieden. Anneli biss sich auf die Fingerknöchel, um nicht zu schreien. Das war einfach zu entsetzlich! Jasper war entdeckt worden! Warum hatte Nicklas nichts unternommen? Sie selbst hätte um sich geschlagen und getreten, hätte gebrüllt! Wo steckte er überhaupt?

Tante Tinne tätschelte Anneli den Kopf.

„Wie lange muss der Zug eigentlich noch hier auf diesem Bahnhof stehen bleiben?", fragte sie.

„Wir fahren ja schon. Spürst du nicht, wie der Boden wieder ruckelt?" Anneli schlug die Hände vors Gesicht. Sie ertrug es nicht, Jasper verschwinden zu sehen.

„Ach ja, stimmt, jetzt fährt er", sagte Tante Tinne. „Schau dir mal diesen Jungen im Schlafanzug an, der muss wohl hier ausgestiegen sein! Ich glaube, der interessiert sich noch mehr für Ponys als du ... seltsam, wie sehr er an Nicklas erinnert ... und einen Rucksack hat er auch dabei!"

„Jaa", flüsterte Anneli atemlos.

Nicklas war tatsächlich ausgestiegen, sie konnte ihn zwischen den Fingern hindurch sehen.

„Der Junge ist natürlich zu spät geweckt worden und hat keine Zeit gehabt, sich anzuziehen", fuhr Tante Tinne fort. „Was es nicht alles gibt! Nein, aber ... was denn ... wie ... das ist doch Nicklas! Nicklas!", schrie Tante Tinne. „Nicklas!!!"

„Leb wohl, Nicklas, leb wohl, Pony", rief Anneli und warf beiden Kusshände zu.

„Ich glaube, ich werde ohnmächtig!", rief Tante Tinne.

Doch das wurde sie nicht. Sie wurde kein bisschen ohnmächtig. Stattdessen warf sie sich ihren Mantel über und riss die Abteiltür auf.

„Was fällt dem Jungen ein, einfach auszusteigen", rief sie aus. „Bestimmt wandelt er im Schlaf! Haltet ihn auf! Lasst mich durch! Ich muss augenblicklich aussteigen!"

„Warte, Tante Tinne! Es wäre lebensgefährlich, jetzt auszusteigen! Die Bäume rennen ja schon vorbei! Der Zug fährt doch schon längst", schrie Anneli.

„Das tut er überhaupt nicht! Das kann er nicht tun, wenn Nicklas dort auf dem Bahnsteig steht! Ich verbiete dem Zug zu fahren! Lass mich los!"

„Bitte, bitte, liebe Tante Tinne, tu es nicht", schluchzte Anneli. „Das darfst du nicht! Du bist verrückt! Sollen wir nicht lieber die Notbremse ziehen?"

„Da hast du was gesagt!", sagte Tante Tinne.

Jetzt war sie plötzlich wieder ruhig.

„Wo ist die Notbremse? Ist es das hier?"

„Nein, glaube ich kaum. Das ist wahrscheinlich der Griff des Waschschranks", vermutete Anneli.

Tante Tinne sah sich mit wilden Blicken um. Das Einzige, was sie erblickte, war den Schaffner von gestern Nacht, aber jetzt war es ihr gleich, mit wem sie sprach.

„Ich muss die Notbremse ziehen", teilte sie mit. „Zeigen Sie mir, wo die ist."

Der Schaffner zog die Augenbrauen hoch. Das konnte er gut. Seine Augenbrauen fuhren langsam in die Stirn hinauf, wie mit einem Fahrstuhl.

„Die Notbremse ziehen?", sagte er. „Warum das denn?"

„Mein kleiner Neffe ist am falschen Bahnhof ausgestiegen. Der Junge im Schlafanzug. Warum haben Sie ihn nicht daran gehindert?"

„Als ob ich nichts anderes zu tun hätte", sagte der Schaffner.

„Woher soll ich übrigens wissen, wo die Neffen anderer Leute wohnen? Ich konnte doch nicht ahnen, dass er noch nicht aussteigen sollte!"

„Reden Sie nicht so viel, ziehen Sie die Notbremse, Sie Kerl, Sie!", rief Tante Tinne mit aller Kraft.

Doch da wurde der Schaffner bockig, seiner Pflicht gemäß. Er baute sich mit gekreuzten Armen vor der Notbremse auf und atmete tief ein, bis er so groß wie möglich wurde.

„Hier werden keine Notbremsen gezogen", teilte er mit. „Die sind für ernsthafte Unfälle vorgesehen. Wenn wir ankommen, können Sie den Bahnhof anrufen und das Personal dort bitten, den Jungen in den nächsten Zug zu setzen. Dem Jungen passiert nichts. Er kann im Wartesaal sitzen und den Fahrplan lesen wie alle andern auch!"

Und damit ruckelte der Zug weiter nach Stockholm.

Nicklas und Jasper allein unterwegs

Nicklas drehte sich um und winkte dem Zug zerstreut zu, der an ihm vorbeifuhr und Tante Tinne und Anneli davontrug. Er sah Tante Tinnes verblüfftes Gesicht. Gut, dass ich die beiden los bin, dachte er. Die würden alles nur noch komplizierter machen.

Er bog um die Ecke des Bahnhofsgebäudes und stellte den Rucksack auf die Treppe. Ein Glück, dass er es noch geschafft hatte, seine Kleider reinzustopfen. Er hatte alles dabei, bis auf die Schuhe. Aber in Hausschuhen kam man auch weit. Langsam begann er, sich anzuziehen.

Ein Herr trat aus dem Wartesaal und schaute belustigt zu Nicklas hinüber.

„Bist wohl auf den letzten Drücker ausgestiegen, was?", sagte er.

„Besser spät als nie", antwortete Nicklas.

Er fühlte sich erwachsen und selbstständig. In den letzten Minuten war er bestimmt zehn Jahre älter geworden. Dann wäre er jetzt neunzehn. So fühlte er sich auch. Er würde niemandem raten, sich über ihn lustig zu machen. Er würde seinen Jasper retten oder sterben. Vorher musste er sich nur noch schnell anziehen.

Er zog die Jeans über die Schlafanzugshose an, weil er nicht ganz nackt dastehen wollte, falls jemand vorbeikam. Dann streifte er die Schlafanzugsjacke ab und schlüpfte in T-Shirt und Pulli. Die Jacke war im Zug geblieben, da konnte man nichts machen. So, nun war er für die Rettungsexpedition bereit. Er packte den Rucksack und begab sich zu Jasper hinüber.

„He, was sollen wir mit diesem Pony machen, das vorhin mit dem Zug angekommen ist? Es hat keine Adresse umgehängt und gar nichts", rief jemand dem Stationsvorsteher zu.

„Ich kümmere mich nachher darum. Komm her und hilf mir mit dem Frachtgut", antwortete der.

Nicklas trat hinter der Ecke hervor.

„Darf ich das Pferd so lange für Sie halten?", fragte er.

Der Bahnarbeiter musterte ihn prüfend.

„Stell das Viech schon mal rüber auf die andere Seite der Straße", sagte er dann. „Dort kann es am Graben grasen, bis wir wissen, was wir damit anfangen sollen. Nicht direkt neben dem Zeitungskiosk, sondern weiter weg, damit es nicht den Rasen zertrampelt. Irgendein Idiot hat es auf die letzte Plattform des Stockholm-Express gestellt", teilte er mit. „Leute gibt's heutzutage, die gibt's gar nicht! Ein typischer Fall von Tierquälerei!"

„Vielleicht haben sie es nicht besser gewusst", bemerkte Nicklas.

Der Stationsvorsteher rief noch einmal. Er hatte schon die eine Ecke einer großen Frachtkiste angehoben und hatte keine Lust, dieses Schwergewicht allein zu schleppen.

„Ich kann mich um das Pony kümmern, so lang Sie wollen", beteuerte Nicklas. „Ich werde es keinen einzigen Augenblick allein lassen."

„Na, dann ist ja gut", brummte der Bahnarbeiter.

Nicklas trat zu Jasper hin. Er streichelte ihm das Maul, kraulte ihm die Stirn und tätschelte ihm das rechte Hinterteil. Jasper hatte vor Angst geschrien, als er von der Plattform heruntergehoben wurde, dann hatte er einen Bahnarbeiter in die Hand gebissen. Bestimmt hatte er sich schrecklich gefürchtet. Nicklas schämte sich, weil er sich nicht getraut hatte, ihm zu helfen. Er hätte vortreten und sagen müssen: „Das ist mein Pferd! Fassen Sie es nicht an!" Doch dann wäre alles schrecklich kompliziert geworden.

Jasper schnupperte an seiner Hand und schob die Schnauze auf der Suche nach Zwieback in seine Tasche. Aber Nicklas hatte nichts dabei. Er löste das Pony von der Regenrinne und begann, es um die Ecke des Bahnhofs zu führen. Wo war jetzt die Stelle, wo Jasper grasen sollte?

Er folgte dem Straßengraben so weit wie möglich. Dann drehte er sich um. Der Stationsvorsteher stand an der Ecke des Bahnhofs, die Hände in die Hüften gestemmt, und schaute hinter ihm her.

„Darf ich es auf die Weide dort drüben bringen?", rief Nicklas.

Der Stationsvorsteher nickte.

„Tu das", schrie er. „Aber mach das Gatter ordentlich hinter dir zu!"

Nicklas lief mit Jasper weiter. Er war so erleichtert, dass man es ihm eigentlich am Rücken hätte ansehen müssen. Die Weide lag schön weit weg, genau dort, wo die Straße eine Biegung machte. Bald war er außer Sichtweite. Nach einer Weile würden sie ihn vielleicht vergessen oder glauben, er und das Pferd befänden sich irgendwo zwischen den Bäumen hinter der Weide. Er lief neben Jasper her und redete auf ihn ein.

„Wir werden sie schon an der Nase herumführen, keine Angst! Immer schön cool bleiben!"

Jasper nickte und wieherte. Er verstand einfach alles, was man ihm sagte.

Vor der Weide schaute Nicklas wieder zurück. Am Bahnhof war kein Mensch zu sehen und aus den Fenstern sah auch niemand. Sicherheitshalber führte er Jasper durch das Gatter auf die Weide und nach hinten zwischen die Bäume. Nachdem sie eine Weile gewartet hatten, suchte Nicklas eine Stelle im Zaun, wo Jasper hinüberspringen konnte, dann stieg er aufs Pferd und sagte:

„So, und jetzt reiten wir nach Hause! Auf geht´s nach Stockholm!"

Worauf Jasper lostrabte.

Nach ungefähr einer halben Stunde kamen sie an eine größere Straße.

„Wie soll ich jetzt wissen, ob ich in die richtige Richtung reite?", grübelte Nicklas.

Bald darauf erblickte er jedoch einen Wegweiser. „STOCKHOLM, 45 km", stand da.

„Ganz schön weit", sagte Nicklas. „Fünfundvierzig Kilometer. Schaffst du das an einem Tag, Jasper?"

Jasper wieherte. Es klang wie: „Neeee!"

„Nein? Aber zehn Kilometer in zwei Stunden, das wirst du doch hinkriegen? Das kann sogar ich! Fünfundvierzig Kilometer, das gibt neun Stunden. Dann wären wir um drei dort. Nein, das wird bestimmt zu anstrengend. Aber in zwei Tagen müsstest du es doch schaffen, oder?"

„Nehehehe", sagte Jasper wieder.

„Hör mal, das wären doch bloß viereinhalb Stunden pro Tag. Obwohl, du hast recht, das ist wohl auch zu viel. So lange kann ich nicht auf deinem Rücken sitzen und mit den Beinen baumeln. Wir müssen uns drei Tage Zeit lassen!"

„Nehehehe", sagte Jasper.

„Du spinnst, Jasper", sagte Nicklas. „Länger als drei Tage darf es unter keinen Umständen dauern! Wenn Tante Tinne länger als drei Tage am Hauptbahnhof in Stockholm auf uns warten muss, wird sie so wütend, dass sie in die Luft fliegt! Das musst du doch einsehen, mein kleiner Dummkopf!"

Er strich ihm zärtlich über den Hals.

Da trabte Jasper los. Er schien keine Zeit mehr verlieren zu wollen. Nicklas hielt sich fest.

Reiten war gar nicht so einfach. Er hatte keinen Sattel und keine Steigbügel und zum Lenken nur ein Halfter.

Davon wurde man schnell müde.

Nicklas hatte das Gefühl, schon stundenlang geritten zu sein, als sie einen großen Bauernhof erreichten. Den Bahnhof hatten sie schon weit hinter sich gelassen, inzwischen war bestimmt niemand mehr hinter ihnen her.

„Ich glaube, ich frage hier mal, ob ich zu Hause anrufen darf, um Bescheid zu sagen, dass ich unterwegs bin", sagte Nicklas zu Jasper. „Ich muss ja nicht unbedingt erwähnen, dass du dabei bist. Es reicht, wenn ich Mama anrufe und mit verstellter Geisterstimme sage: ‚Es ist alles okay, Nicklas kommt in drei Tagen nach Hause!' Dann brauchen sie sich keine Sorgen zu machen."

Jasper nickte. Er schien mit allem einverstanden zu sein.

Nicklas streichelte ihn noch einmal.

Auf dem Hof war es menschenleer. Aber vor einer Laderampe parkte ein großer Lastwagen. Zehn 50-Liter-Milchkannen standen bereits auf der Ladefläche des Lasters und fünf weitere warteten darauf, auch befördert zu werden. Die Tür zur Milchkammer stand offen.

Nicklas stieg vom Pferd. Er hätte nicht gedacht, dass man vom Reiten so durchgewalkt wird. Sein einer Fuß war eingeschlafen, und als er sich aufrecht hinstellen wollte, drohten seine Knie nachzugeben. Doch das ging zum Glück schnell vorbei. Er kletterte auf die Rampe und lauschte in den Stall hinein. Dort klapperte etwas.

Plötzlich kam ihm ein Gedanke: Wenn das hier jetzt gar kein normaler Stall war! Man konnte nie wissen, was für Leute hier wohnten. Vielleicht Waffenschmuggler oder Panzerknacker oder sonst irgendwelche verdächtigen Typen. Die taten vielleicht bloß so, als wären sie Bauern, damit niemand ihnen auf die Schliche kam! Im Stall klapperte es schon wieder. Womöglich luden sie dort drinnen Pistolen und Gewehre ein?

„Sei leise, wir wollen niemanden wecken", hörte er einen Mann sagen.

„Keine Sorge. Bisher hat das Klappern noch nie jemanden gestört", antwortete eine Frauenstimme.

Gibt es etwa auch weibliche Waffenschmuggler?, überlegte Nicklas.

„Vorsicht ist besser als Nachsicht!", sagte die andere Stimme.

Das klang höchst verdächtig.

„Sieh zu, dass du fertig wirst, damit ich losfahren kann. Ich hab keine Lust, über die Straßen zu hetzen und die Polizei auf die Fersen zu kriegen", fuhr die Männerstimme fort.

Nicklas wollte schon von der Rampe herunterklettern und sich irgendwo mit Jasper verstecken, als eine Frau aus der Tür trat, die eine 50-Liter-Milchkanne vor sich hielt.

„Herrje, hast du mich erschreckt", rief sie aus, als sie Nicklas erblickte. „Hab schon geglaubt, da steht ein Einbrecher. Was bist du denn für einer?"

„Ich heiße Nicklas", stellte Nicklas sich vor. „Und eigentlich sollte ich auf diesem Pony nach Hause reiten, nach Stockholm. Aber ich bin so schrecklich müde!"

„Bestimmt nicht so sehr wie der da", sagte der Mann, der hinter der Frau herauskam.

Er deutete auf Jasper und sprang von der Rampe, um ihn hinterm Ohr zu kraulen.

Jasper schnupperte hochzufrieden am Ärmel des Mannes.

„Wer hat sich denn ausgedacht, dass du den ganzen Weg reiten sollst? Das kommt mir nämlich ziemlich unsinnig vor", sagte die Frau.

„Das war meine Idee", sagte Nicklas. „Ich wollte meine Eltern damit überraschen. Die haben keine Ahnung, dass ich angeritten komme."

Der Mann lachte.

„Das wirst du auch kaum tun", sagte er. „Bevor ihr halbwegs dort seid, hat das Pony einen Senkrücken und du bist überall total wund gescheuert. Das heißt, wenn ich euch nicht mit dem Milchauto mitnehme!"

„Selbstverständlich muss Henning dich mitnehmen", sagte die Frau. „Stell dich jetzt bloß nicht an, mein Junge! Für ein so kleines Pferd ist es viel zu anstrengend, eine so weite Strecke mit dir auf dem Rücken zurückzulegen!"

„Ja, genau das meine ich doch", sagte der Mann. „Versteh

gar nicht, warum du unbedingt darauf bestehst! Die daheim werden sich sowieso bloß über dich aufregen!"

Nicklas war verstummt. Er hatte keineswegs vor, auf dem restlichen Ritt nach Hause zu bestehen, wenn sie stattdessen vom Milchauto mitgenommen werden konnten.

„Jetzt tust du, was ich sage", bestimmte die Frau. „Wenn du zu Hause bist, wirst du mir dankbar sein. Und deine Eltern auch, würde ich annehmen."

„Worauf du dich verlassen kannst", sagte Henning.

„Vielen Dank, wir fahren gerne mit", brachte Nicklas endlich heraus.

„Na, dann ist das abgemacht. Ich hab mir schon gedacht, dass du zur Vernunft kommen wirst", bemerkte die Frau. „Du kannst bis zur Molkereizentrale in Stockholm mitfahren."

„Kommt man da an Mälarhöjden vorbei? Da wohne ich nämlich", fragte Nicklas.

„Beinah, das hängt ganz von mir ab", erklärte Henning. „Aber was soll's, den kleinen Umweg kann ich auch noch machen!"

Glücklich wieder vereint

Tante Tinne stieg mit ihrem frisch gepackten Koffer aus dem Zug und ließ fünf leere Kartons im Zug zurück. Sie marschierte am Schaffner vorbei, ohne ihn eines Blickes zu würdigen, und winkte einem Gepäckträger. Dabei hielt sie Anneli so fest an der Hand, als wollte sie sie nie mehr loslassen.

„So, jetzt sind wir da und der Zug kann verschnaufen. Aber wir können das nicht", sagte Tante Tinne. „Wir müssen sofort den nächsten Zug zurück nehmen, um Nicklas zu suchen."

„Armes Tantchen, bestimmt bist du müde! Ich könnte doch allein zurückfahren und Nicklas suchen", schlug Anneli vor.

„Das wär ja noch schöner! Dann verschwindest du auch und ich komme mit zwei leeren Händen bei euren Eltern an", stöhnte Tante Tinne. „Was mache ich bloß, wenn Nicklas etwas zugestoßen ist?!"

„Dem geht's bestimmt gut! Er sagt immer, ihm passiert nie etwas. Wahrscheinlich wäre er bloß froh, wenn ein Gorilla oder ein paar Menschenfresser hinter ihm her wären", tröstete sie Anneli.

Tante Tinne ließ den Koffer in der Gepäckaufbewahrung abgeben, suchte eine Telefonzelle auf und rief den Bahnhof an, wo Nicklas ausgestiegen war. Offenbar meldete sich der Stationsvorsteher.

„Hallo! Spricht dort der Herr Stationsvorsteher?", sagte Tante Tinne. „Mein Name ist Nilson, ich möchte mich nach unserem Nicklas erkundigen, der auf Ihrem Bahnhof zurückgeblieben ist. Er hat den Zug unbemerkt verlassen und irgendjemand muss jetzt nach ihm schauen ... wie bitte? Ihn beschreiben? Doch, ja, er hat braune Augen, glaube ich. Ja, das stimmt."

„Blaue", sagte Anneli.

„Und ziemlich kleinwüchsig ... ja, genau! Ob er einen Fleck auf der Stirn hat? Nein, glaub ich nicht. Hat Nicklas ein Muttermal oder so was auf der Stirn, Anneli?"

„Nein, aber auf dem Rücken."

„Er hat einen Fleck auf dem Rücken", teilte Tante Tinne mit. „Doch, das ist ganz sicher."

Tante Tinne klang geradezu hoffnungsvoll.

„Und weiße Strümpfe? Jaa. Warum? An allen vier Füßen?

Was soll das heißen, an allen vier? Sie meinen doch wohl an allen beiden?", rief sie ungeduldig. „Er hat vier weiße Füße und einen langen Schwanz? Ja, haben denn jetzt alle Menschen den Verstand verloren? Haben Sie jemals einen kleinen Jungen mit vier Beinen gesehen? Einen Jungen, ja! Was glauben Sie wohl, worüber wir uns unterhalten!"

„Darf ich mal was sagen?", schrie Anneli und riss den Hörer an sich.

Doch das war zu spät. Der Stationsvorsteher war wütend geworden und hatte den Hörer aufgelegt.

Tante Tinne lehnte sich an das Telefon und brach in Tränen aus. Anneli umarmte sie, um sie zu trösten, und wiegte sie hin und her, aber Tante Tinne schluchzte nur weiter, holte umständlich ein Taschentuch aus ihrer blauen Tasche, wischte sich die Tränen ab und vergoss sofort wieder neue.

„Meine liebe kleine Anneli! Ich weiß nicht, ob du verstehst, wie ernst das alles eigentlich ist", schluchzte sie. „Deine Eltern haben mir vertraut, ich durfte euch nach Kopenhagen mitnehmen und sie haben sich darauf verlassen, dass alles gut geht, und jetzt sehe ich mich gezwungen, sie anzurufen und ihnen mitzuteilen, dass Nicklas verloren gegangen ist. Ich bin außer mir vor Verzweiflung! Ich muss die Polizei verständigen und ihn als vermisst melden, so wie in Kopenhagen, als du dich im Zoo verlaufen hast!"

„Hat das geholfen?", fragte Anneli.

„Nein, hat es nicht, weil du ja von alleine wieder aufgetaucht bist. Aber es hätte helfen sollen", sagte Tante Tinne. „Wir dürfen nichts unversucht lassen! Aber vor allem müssen wir alles deinen Eltern erzählen."

Anneli regte sich fast so sehr auf wie Tante Tinne. Jetzt alles zu erzählen wäre das Dümmste, was sie machen konnten. Papa und Mama würden sich Sorgen machen, weil Nicklas verschwunden war, und böse werden, wenn er gefunden wurde, und wenn sie dann erst erfuhren, dass ein kleines Zwergpony an allem schuld war …!

„O nein, Tante Tinne, die werden nur stinksauer", rief sie. Tu das nicht! Ich weiß noch, wie es war, als ich meine grünen Handschuhe verloren hatte. Mama hat tagelang mit mir geschimpft! Stell dir mal vor, was das erst für einen Ärger gibt, wenn wir den ganzen Nicklas verloren haben! Können wir nicht noch einmal bei diesem Bahnhof anrufen? Inzwischen haben sie Zeit gehabt, sich die Sache zu überlegen, und verstehen, um was es geht. Wir erklären ihnen gleich als Erstes, dass es ein Junge ist, den wir suchen!"

Tante Tinne seufzte und schnäuzte sich.

„Am besten, wir nehmen den ersten Zug zurück, wie ich schon gesagt habe."

Sie ging mit Anneli zum Auskunftsschalter. Der nächste Zug würde in einer Stunde und 55 Minuten abfahren. Tante Tinne rang vor Verzweiflung die Hände, aber Anneli tröstete sie wieder.

„Das sind nicht einmal zwei Stunden", sagte sie. „Papa ist bei der Arbeit und wir hatten ja sowieso ausgemacht, dass niemand uns abholen soll, also merkt auch niemand, dass wir zurückfahren. Schlimmstenfalls können wir von dem anderen Bahnhof aus anrufen, nachdem wir Nicklas gefunden haben. Wenn wir ihn erst mal haben, macht es nichts, dass wir uns ein bisschen verspäten!"

Tante Tinne schien Annelis Meinung zu teilen. Sie ging mit ihr ins Bahnhofscafé und bestellte Tee, ein Kännchen starken Kaffee und belegte Brötchen.

„Wenn ich nur eine ordentliche Beruhigungspille hätte", sagte Tante Tinne seufzend.

Anneli streichelte ihr die Hand und den Arm und legte ihr zwei Zuckerwürfel in die Tasse.

„Schenk dir noch ein bisschen Kaffee ein, Tantchen, das macht munter", sagte sie.

Und dann saßen sie betrübt schweigend da.

In der Bahnhofshalle stand eine kleine Modelleisenbahn unter einer Glaskuppel. Anneli konnte sie von ihrem Platz aus gut sehen, traute sich aber nicht, sie Tante Tinne zu zeigen. Die hatte bestimmt keine Lust, mehr als unbedingt nötig an Züge zu denken. Abgesehen davon gefiel ihr die kleine Eisenbahn aber richtig gut. Ein Vater und drei kleine Mädchen standen davor und schauten sie an.

„Heb mich hoch, Papa!", rief das eine Mädchen.

„Ich will auch was sehen!", rief das andere.

„Ich auch!", rief das dritte. „Warum ist die Babylokomotive in einem Glaskasten, wie ein Goldfisch? Ist das eine Unterwasserlok?"

„Nein, das ist das Modell einer richtigen Lokomotive. Wenn

man in diesen Schlitz hier eine Münze steckt, fährt sie", erklärte der Vater.

Doch das hätte er lieber nicht sagen sollen.

„Bitte, Papa, steck doch eine Münze rein, bloß ein einziges Mal! Wir wollen sehen, wie sich die Räder drehen", riefen die kleinen Mädchen.

„Na gut, aber nur ein Mal", sagte der Vater.

Er durchwühlte sämtliche Taschen und fand schließlich in einer Ecke eine versteckte Münze.

Das kleinste Mädchen durfte sie reinstecken, worauf die Räder der Eisenbahn sich in Bewegung setzten. Die Kolbenstangen arbeiteten und aus dem Glaskasten drang ein surrender Ton.

„Ist es schon aus?", riefen die Mädchen, als die Räder anhielten.

„Wir könnten doch den Glasdeckel abnehmen und die Eisenbahn auf dem Boden herumfahren lassen, dann sieht man, wie schnell sie fährt!", schlug das größte Mädchen vor.

„Nein, jetzt müssen wir nach Hause", sagte der Vater.

„Nur noch ein Mal", rief das kleinste.

„Nur noch ein Mal", rief das dritte.

Der Vater seufzte gekünstelt. Offensichtlich hatte auch er Lust, das Ganze noch einmal zu wiederholen. Wieder durchwühlte er sämtliche Taschen, bis er noch eine versteckte Münze fand.

„Jetzt darf ich das Geld reinstecken", rief das mittlere Mädchen.

Anneli seufzte. Ihr war schon klar, wie es weitergehen würde.

Tante Tinne saß völlig zusammengesunken da und grämte sich. Die Ärmste konnte keinen einzigen Augenblick an etwas Erfreuliches denken. Die Minilokomotive ratterte wieder und blieb dann stehen.

„Diesmal ist es viel schneller gegangen", sagte das mittlere Mädchen. „Nur noch ein Mal. Das allerletzte Mal!"

„Ja, bloß noch ein Mal, das allerletzte Mal", rief das größte Mädchen.

„Bloß noch ein Mal, das allerletzte Mal", rief auch die Kleinste.

Und da sagte der Vater:

„Also gut, noch ein Mal. Ein allerletztes Mal. Aber dann *müssen* wir nach Hause!"

Genau so hab ich es mir vorgestellt, dachte Anneli.

„Jetzt darf ich das Geld reinstecken", rief das größte Mädchen.

Der Vater durchwühlte noch einmal seine Taschen. Aber diesmal schien es völlig aussichtslos, irgendeine Münze darin zu finden.

Der sucht noch, bis wir zum Zug müssen, dachte Anneli gereizt.

„Hier, sie darf für mich Geld reinstecken. Ich wollte sowieso fünfundzwanzig Öre reintun", sagte plötzlich ein Junge, der neben dem Vater stand.

Der Junge hatte wohl auch inzwischen die Geduld verloren. Anneli seufzte noch einmal.

Da fuhr Tante Tinne mit einem halb erstickten Schrei hoch.

„Nicklas!", schrie sie, worauf sich sowohl der Junge als auch der Vater und die drei Mädchen umdrehten.

Und da entdeckte Anneli, dass es ihr Bruder war, der die Lokomotive in Gang bringen wollte.

Tante Tinne und Anneli rannten um die Wette die Treppe hinunter. Es war ein Wunder, dass Tante Tinnes Tasche mitkam.

„Wie bist du hierhergekommen?", schrie Tante Tinne.

Und dann nahm sie ihn ganz fest in die Arme.

„Ich bin schon lange hier und hab nach euch gesucht", erklärte er. „Aber ich hab euch nirgends gesehen. Und da hab ich geglaubt, ihr wärt noch gar nicht angekommen."

„Erzähl sofort, was passiert ist, alles!", befahl Tante Tinne.

„Och, nichts Besonderes, ein Lastwagen hat mich mitgenommen", sagte Nicklas. „Er hat mich bis nach Hause gebracht. Aber dann bin ich gleich mit der U-Bahn hierhergefahren, um nach euch zu suchen. War bloß kurz in der Garage, um etwas dort abzustellen!"

„Deinen Rucksack", sagte Tante Tinne. „Sehr vernünftig. Bist du denn nicht ins Haus gegangen, um deine Mutter zu begrüßen?"

„Nein, dafür hatte ich keine Zeit", sagte Nicklas. „Ich fand es besser, wenn wir alle drei gleichzeitig nach Hause kommen."

Tante Tinne umarmte ihn noch einmal.

„Oh, es ist einfach zu wunderbar, um wahr zu sein", sagte sie. „Ich bin die glücklichste Tante der Welt! Wir haben schon geglaubt, wir würden dich nie mehr wiedersehen! Wollt ihr euch denn nicht umarmen?"

„Och nöö", sagte Nicklas.

„Nein, so was machen wir nie", erklärte Anneli. „Aber jetzt fahren wir doch schnell nach Hause, oder?"

„Ja, da hast du wirklich recht", sagte Tante Tinne.

Und damit eilten sie zur Gepäckaufbewahrung, um Tante Tinnes und Annelis Koffer zu holen. Dann liefen sie zu der langen Reihe von Taxis hinaus, die den Gehweg vor dem Hauptbahnhof säumten. Tante Tinne war mittlerweile so eifrig, dass es schwerfiel, mit ihr Schritt zu halten. Im Nu saßen sie im Auto und schaukelten über die altvertrauten Pflastersteine und den rissigen Asphalt der Stadt Stockholm zum Vorort Mälarhöjden hinaus.

„Mist, jetzt hab ich doch tatsächlich vergessen, die Schuhe auszuziehen, um festzustellen, wie es sich anfühlt, wieder schwedischen Boden unter den Füßen zu haben", sagte Nicklas.

Tante Tinne war vor lauter Glück verstummt. Sie hatte die Arme um Nicklas und Anneli gelegt, die zu beiden Seiten von ihr saßen, und schaute mit einem Lächeln auf den Lippen vor sich hin. Ab und zu seufzte sie leicht auf.

Als sie sich Mälarhöjden näherten, sah Anneli Nicklas und Tante Tinne an. „Hast du vor, Papa und Mama die Sache mit Nicklas zu erzählen?", fragte sie.

Tante Tinne wachte auf und machte ein ertapptes Gesicht.

„Ich weiß nicht", sagte sie. „Darüber habe ich mir gerade den Kopf zerbrochen."

„Es wäre vielleicht nicht gut, sie gleich zu Anfang so zu beunruhigen", meinte Nicklas.

„Du meinst, wir sollten ihre Nerven lieber noch ein bisschen schonen?", fragte Tante Tinne.

„Ja, nachdem wir uns jetzt wiedergefunden haben, ist das doch eigentlich nicht der Rede wert!"

„Stimmt, da hast du recht. Wir sagen erst mal nichts, dann sehen wir weiter. Das zu entscheiden, überlasst ihr mir, das ist meine Sache!"

„O ja, das ist deine Sache, Tante Tinne!", riefen Nicklas und Anneli im Chor. Sie lächelten einander zu und umarmten dabei Tante Tinne ganz fest.

Alles in Butter!

Mama hatte das Essen fertig, als sie nach Hause kamen. Für Tante Tinne hatte sie ein Pilzomelett zubereitet und für Nicklas und Anneli Pommes mit Bratwürstchen. An Tante Tinnes Platz stand eine Vase mit blauen Blumen.

„Ach, wie schön, euch wieder wohlbehalten dazuhaben", sagte Mama. „Ich hab gewartet und gewartet, eigentlich hättet ihr doch viel früher ankommen sollen, der Zug muss Verspätung gehabt haben! Aber das ist jetzt unwichtig, Hauptsache, ihr seid da! Jetzt erzählt mal, wie es euch ergangen ist!"

„Es war wunderbar, großartig, einfach super!", sagte Anneli. „Und wahnsinnig spannend, ich wäre fast gestorben!"

„Na, ganz so schlimm war es auch nicht", wandte Nicklas ein. „Aber es hat unheimlich Spaß gemacht! In meinem ganzen Leben hat mir noch nie etwas so viel Spaß gemacht!"

„Ja, doch, es war wirklich sehr nett", sagte Tante Tinne.

Mama warf Tante Tinne einen prüfenden Blick zu, dann tätschelte sie ihr die Hand.

„Jetzt iss erst mal tüchtig", sagte sie, „dann kannst du dich nachher hinlegen und dich ein Weilchen ausruhen. Ich möchte ganz gern hören, wie du das alles erlebt hast, doch das hat keine Eile."

„Oh, erzählen kann ich schon noch", sagte Tante Tinne. „Ein paar kleinere Zwischenfälle gab es allerdings, nichts Beunruhigendes natürlich, aber dennoch. Ich bin froh, wieder mitsamt den Kindern zu Hause zu sein, das kann ich nicht leugnen! Aber eins muss ich sagen, Nicklas und Anneli waren die ganze Zeit sehr lieb und tüchtig. Sie waren äußerst fürsorglich und wohlerzogen! Wenn es irgendwelche Probleme gab, haben sie mir nach Kräften beigestanden und mich getröstet!"

„Ja, das haben wir wirklich", bestätigten Nicklas und Anneli.

Mama nickte und tat Tante Tinne etwas Salat auf.

„Bestimmt hättest du eine Medaille verdient, liebe Tinne", sagte sie. „Aber warte mit den Einzelheiten, bis die ganze Familie versammelt ist, dann hören wir uns alles an. Ich verstehe genau, wie es dir ergangen ist!"

„Kommt Papa zum Essen nach Hause?", fragte Nicklas.

Mama sah zum Fenster hinaus.

„Ja, er hat gesagt, er will sich so schnell wie möglich vergewissern, ob ihr komplett seid, und dann möchte er mit eigenen Augen sehen, dass Tinne überlebt hat. Ich glaube, ich habe gerade das Auto draußen gehört."

Nicklas fuhr so hastig vom Stuhl hoch, dass der fast umkippte. Er sah aus wie Tarzan, Sohn der Affen, der einen wild gewordenen Elefanten auf sich zukommen sieht.

„Ist er schon da?", rief er aus. „Er ist doch hoffentlich nicht zu schnell gefahren? So schnell, dass er in der Garage mit etwas zusammengestoßen ist? Er hat doch hoffentlich gut aufgepasst?"

Anneli war auch aufgesprungen.

„Oh, ja! Er darf absolut nicht mit dem Auto in die Garage, ohne das Licht anzumachen. Sonst werde ich wahnsinnig!"

„Was um alles in der Welt ist denn in euch gefahren?", sagte Mama.

„Nichts", beteuerten Nicklas und Anneli.

In diesem Moment kam Papa zur Tür herein. Er ließ den Blick um den Tisch wandern, dann wurde er überfallen und umarmt. Er streckte eine freie Hand zu Tante Tinne hin und lachte übers ganze Gesicht.

„Ihr habt es also geschafft", sagte er. „Jetzt müsst ihr uns alles erzählen."

Er machte den Eindruck, als hätte er in seinem ganzen Leben noch kein Pony gesehen. Nicklas und Anneli konnten die Augen nicht von ihm abwenden. Er nahm ruhig Platz und aß alle Pommes auf, die noch übrig waren.

„Ach, da gibt es nicht viel zu erzählen", sagte Tante Tinne bescheiden. „Es ist ja gar nichts Besonderes passiert. Wir sind bloß nach Kopenhagen gefahren und dann wieder nach Hause!"

„Na hör mal. Das könnt ihr uns nicht weismachen", sagte Papa. „So leicht kommt ihr nicht davon. Wir haben deine Ansichtskarten von vorn bis hinten und von hinten bis vorn gelesen, wissen also schon so manches!"

Tante Tinne räusperte sich und sah Nicklas und Anneli an.

„Ehrlich gesagt weiß ich kaum noch, was ich geschrieben habe", sagte sie. „Na ja, natürlich einiges darüber, dass Anneli im Zoologischen Garten abhanden kam, am selben Tag, als die Kinder unbedingt nachschauen wollten, ob sie in der Ponylotterie gewonnen hatten. Ich verstehe gar nicht, wie wir Anneli verlieren konnten. Das ist mir ein absolutes Rätsel, aber zum Glück hat sie doch den Weg ins Hotel zurück gefunden."

„Ist ja unglaublich", sagte Mama.

„Und dann gab es im Hotel noch ein paar Probleme. Der Portier behauptete, die Kinder würden auf den Boden stampfen und im Zimmer Pferd spielen. Und dabei war es nur das Zimmermädchen, das beim Saubermachen mit dem Staubsauger herumgerummst hat, wie ich selbst gehört habe, und Anneli auch", fuhr Tante Tinne fort.

„Aha", sagte Mama.

„Ein Hotelaufenthalt mit Kindern ist das Anstrengendste, was es gibt. Ich habe dich gewarnt!", sagte Papa.

Tante Tinne schüttelte jedoch tapfer den Kopf.

„Dafür konnten sie ja nichts", sagte sie. „Aber der Gipfel war dann dieser dumme Portier, der hat sich doch tatsächlich in den Wandschrank der Kinder gesetzt und dort laut gewiehert. Auf was für Ideen die Leute kommen! Ausgerechnet als wir abreisen wollten und alles! Aber er weigerte sich zuzugeben, dass er den Schrank überhaupt betreten hatte, so einer war das!"

„Ein wiehernder Portier in einem Wandschrank", sagte Mama. „Das klingt irgendwie seltsam ..."

„Ja, ich weiß bis auf den heutigen Tag nicht, was er dort zu suchen hatte", sagte Tante Tinne. „Nun, und dann geruhten Nicklas und Anneli, alle Kleider aus meinem Reisekoffer auszuräumen, bevor sie ihn dem Gepäckträger mitgaben. Er hätte nicht erwähnt, dass er auch die Kleider mitnehmen sollte, erklärten diese beiden kleinen Dummköpfe ... aber das war nicht weiter schlimm. Ich fand es nur komisch!", sagte Tante Tinne."

„So was Hirnverbranntes habe ich noch nie gehört!", rief Papa aus. „Wie konntet ihr euch nur so idiotisch benehmen?!" Bevor Tante Tinne weitererzählen konnte, sah er kurz richtig erbost aus; Mama dagegen sagte nichts. Sie war dazu übergegangen, Nicklas und Anneli eindringlich anzuschauen.

„Im Zug gab es dann ein paar Probleme mit einem verrückten Schaffner, der partout darauf bestand, uns mitten in der Nacht zu wecken, um von den Alpträumen der anderen Passagiere zu erzählen", fuhr Tante Tinne fort.

„Wovon haben die denn geträumt? Die werden doch nicht etwa von Pferden geträumt haben?", fragte Mama.

„Doch, tatsächlich! Wie konntest du das erraten? Zum

Schluss hab ich mir sogar selbst eingebildet, Pferde zu hören", sagte Tante Tinne. „Und die Kinder rumorten die halbe Nacht im Abteil herum, haben gegessen und getrunken und einander hinter den Ohren gekrault ..."

„Ich hatte euch doch gesagt, dass ihr euch ruhig und anständig verhalten sollt! Warum habt ihr das nicht getan?", fragte Papa ärgerlich.

Nicklas und Anneli trauten sich nicht, ihm eine Antwort zu geben. Papa durfte unter keinen Umständen verstimmt werden! Mama guckte auch schon ganz komisch.

„Ach, das vergessen wir einfach", sagte Tante Tinne. „Wahrscheinlich konnten sie nicht einschlafen, weil wir so viel erlebt hatten. Na ja, und danach gibt es nicht mehr viel zu erzählen. Nur dass Anneli ganz traurig wurde, als sie ein kleines Pony sah, das an einem Bahnhof ausgeladen wurde, und da musste ich sie trösten und dann ..."

Tante Tinne überlegte einen Augenblick.

„... ja, dann war nichts mehr", schloss sie.

„Nun, ich weiß nicht so recht", sagte Mama. „In meinen Ohren klingt das so, als würde da irgendwas dahinterstecken! Ich glaube allmählich, dass ..."

Aber Tante Tinne, Nicklas und Anneli drehten sich alle gleichzeitig zu ihr um.

„Nein, nein, nein", sagte Tante Tinne. „Alles lief ganz wunderbar!"

„Es ist nichts, Mama, überhaupt nichts", riefen Nicklas und Anneli.

Aber Papa lachte wieder übers ganze Gesicht.

„Gut, wenn es nichts Schlimmeres war! Ich habe kaum arbeiten können, weil ich die ganze Woche an euch denken musste. Ich hab mir die fürchterlichsten Sachen vorgestellt. Aber hier seid ihr jetzt, froh und zufrieden! Und nichts wirklich Ernstes ist passiert. Das müssen wir feiern!"

Er hievte Anneli in die Luft, knuffte Nicklas in die Seite und warf Tante Tinne ein Lächeln zu.

„Du bist viel tüchtiger, als ich geglaubt hätte", sagte er anerkennend. „Und hier zu Hause ist auch nichts Besonderes vorgefallen, außer dass ich vorhin fast zu spät zum Essen gekommen wäre, weil ich in der Garage ein Pony vorfand! Es stand ganz friedlich da und trank Wasser aus dem Eimer, mit dem ich sonst das Auto wasche."

„Wirklich, Papa? Ist es nicht süß?", schrie Anneli.

„Wie findest du es?", schrie Nicklas.

„Nein, da hört doch alles auf!", sagte Mama. „Jetzt verstehe ich, was hier gespielt wird!"

Da fingen Nicklas und Anneli an, wild auf und ab zu hüpfen. Nicklas packte Papa am Ärmel und schüttelte ihn, um ihn am Denken zu hindern, und Anneli versuchte, Mama den Mund zuzuhalten.

„Sag nichts, Mama, bitte, bitte, sag nichts."

„Hat es dir gefallen, Papa?", fragte Nicklas mit ernster Stimme.

Papa nickte zustimmend.

„Ja, so ein niedliches Pony habe ich bestimmt noch nie gesehen. Ich begreife nur nicht, wer es dort hineingestellt hat. Da muss sich jemand von der Reitschule in Sätra in der Adresse geirrt haben. Schade, dass es nicht uns gehört, sonst hättet ihr darauf reiten können!"

Mama schlug die Hände vors Gesicht.

„Oh, jetzt hast du was angerichtet! Diese Worte wirst du noch bereuen!"

Aber sie musste trotz allem doch lachen. Papa machte ein völlig verständnisloses Gesicht. Er sah Mama an und dann Nicklas und Anneli, die inzwischen wie verrückt um ihn herumtanzten, johlten und Hurra schrien, dass sich die Wände bogen.

„Ist es sicher, dass wir darauf reiten dürften, wenn es uns gehören würde? Sag *Ja*, Papa, sag *Ja!*", schrien sie.

„Sag Nein, hörst du, das rate ich dir!", rief Mama.

Aber Papa kapierte überhaupt nichts.

„Warum denn?", sagte er. „Ist doch klar, dass sie das dürften! Also wenn! Aber jetzt ist es nun mal nicht so!"

„Doch, genau so ist es", verkündete Anneli feierlich. „Jasper ist unser Pony! Und du hast gesagt, dass wir ihn behalten dürfen!"

„Du hast es versprochen!", sagte Nicklas.

Angesichts des Waltens höherer Mächte holte Papa tief Luft und beschloss, sein Geschick wie ein Mann zu tragen.

„Was ist das für ein Pferd, von dem ihr da redet?", fragte Tante Tinne. „Wo habt ihr das her? Das wüsste ich jetzt aber wirklich zu gern!"

Inhalt

DIE AUTORIN

Gunnel Linde, geboren 1924 in Stockholm, hat über 40 Kinderbücher veröffentlicht. Für ihr Gesamtwerk ist sie mit dem Astrid-Lindgren-Preis geehrt worden. *Der weiße Stein*, ihr wichtigstes Buch, wurde mit der Nils-Holgersson-Plakette ausgezeichnet.

Salamanda Drake

Sternenstürmer
Für kleine Drachenreiterinnen

Begleite Cara in die magische Welt von Bresal und die
Schule der Drachenmeister.

Alles für einen Drachen!
Band 1
288 Seiten, ISBN 978-3-570-22043-6

Das Drachenturnier
Band 2
320 Seiten, ISBN 978-3-570-22044-3

Drache in Gefahr
Band 3
300 Seiten, ISBN 978-3-570-22014-6

40033

cbj

www.cbj-verlag.de